LA QUÊTE DES OURS

LIVRE I

L'aventure commence

L'auteur

Erin Hunter puise son inspiration dans son amour du monde sauvage. Erin est une fidèle protectrice de la nature. Elle aime par-dessus tout expliquer le comportement animal grâce aux mythologies, à l'astrologie et aux pierres levées. Elle est également l'auteur de la série bestseller *La guerre des Clans*, publiée chez Pocket Jeunesse.

Du même auteur :

LA QUÊTE DES OURS

Livre 2 (parution octobre 2013)

LA GUERRE DES CLANS

CYCLE I (6 TITRES)

CYCLE II : LA DERNIÈRE PROPHÉTIE (6 titres)

CYCLE III : LE POUVOIR DES ÉTOILES
1. *Vision*
2. *Rivière noire*
3. *Exil*
4. *Éclipse* (mars 2013)

Vous aimez les livres de la collection
LA QUÊTE DES
OURS
Écrivez-nous
pour nous faire partager votre enthousiasme :
Pocket Jeunesse, 12 avenue d'Italie, 75013 Paris.

Par l'auteur de *La guerre des clans*

Erin Hunter

LA QUÊTE DES OURS

LIVRE I

L'aventure commence

Traduit de l'anglais par Fabienne Berganz

POCKET JEUNESSE
PKJ·

Titre original :
The Quest Begins

Loi n° 49 956 du 16 juillet 1949 sur les publications
destinées à la jeunesse : février 2013.

© 2008, Working Partners Ltd.
Tous droits réservés.
© 2013, éditions Pocket Jeunesse, département d'Univers Poche,
pour la traduction française et la présente édition.
La série « La quête des ours » a été créée
par Working Partners Ltd, Londres.

ISBN : 978-2-266-18581-3

Un grand merci à Tui Sutherland

LE VOYAGE VU

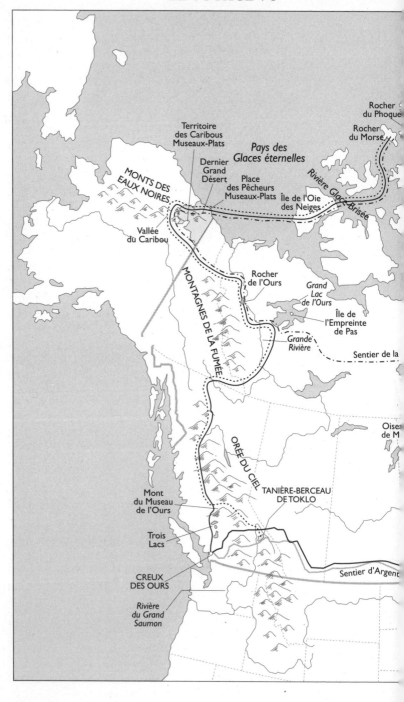

Rocher
du Phoque

Rocher
du Morse

Territoire
des Caribous
Museaux-Plats

*Pays des
Glaces éternelles*

Dernier
Grand
Désert

MONTS DES
EAUX NOIRES

Place
des Pêcheurs
Museaux-Plats

Île de l'Oie
des Neiges

Rivière Glace Brisée

Vallée
du Caribou

Rocher
de l'Ours

*Grand
Lac
de l'Ours*

Île de
l'Empreinte
de Pas

MONTAGNES DE LA FUMÉE

*Grande
Rivière*

Sentier de la

Oise
de M

ORÉE DU CIEL

TANIÈRE-BERCEAU
DE TOKLO

Mont
du Museau
de l'Ours

Trois
Lacs

Sentier d'Argent

CREUX
DES OURS

*Rivière
du Grand
Saumon*

PAR LES OURS

Lusa ——————
Kallik ——·——·——·
Toklo ··············

Étoile

Mer
Baleine

Mer-qui-fond

ASSEMBLÉE
DES OURS

Sentier Noir

LE VOYAGE VU

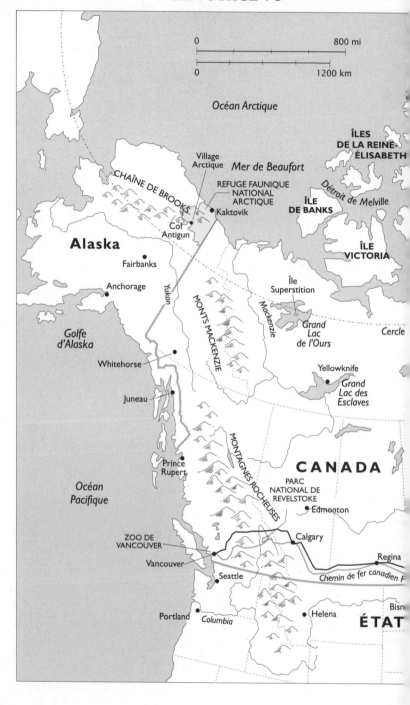

0   800 mi

0   1200 km

Océan Arctique

ÎLES
DE LA REINE-
ÉLISABETH

Mer de Beaufort

Village
Arctique

Détroit de Melville

CHAÎNE DE BROOKS

REFUGE FAUNIQUE
NATIONAL
ARCTIQUE

ÎLE
DE BANKS

Kaktovik

Col
Antigun

Alaska

ÎLE
VICTORIA

Fairbanks

Île
Superstition

Anchorage

Yukon

MONTS MACKENZIE

Mackenzie

Cercle

*Golfe
d'Alaska*

*Grand
Lac
de l'Ours*

Whitehorse

Yellowknife

Juneau

*Grand
Lac des
Esclaves*

CANADA

Prince
Rupert

MONTAGNES ROCHEUSES

*Océan
Pacifique*

PARC
NATIONAL DE
REVELSTOKE

Edmonton

ZOO DE
VANCOUVER

Calgary

Regina

Vancouver

Chemin de fer canadien P

Seattle

Portland

Columbia

Helena

Bisn

ÉTAT

CHAPITRE 1

Kallik

— Il y a très longtemps, bien avant l'apparition des ours sur la Terre, la mer de glace se brisa en mille morceaux, qui s'éparpillèrent dans le ciel, où ils brillent la nuit. Chaque petit bout de glace contient l'esprit d'un ours. Et un jour, si vous êtes sages, forts et courageux, votre esprit ira les rejoindre.

Blottie contre le flanc de sa mère, Kallik écoutait cette histoire pour la centième fois. Étendu à côté d'elle sur le sol, son frère s'agitait sans cesse. Taqqiq ne tenait pas en place quand le mauvais temps les obligeait à rester dans la tanière.

— En regardant bien les étoiles, continua Nisa, leur mère, on peut y voir la forme de Silaluk, la Grande Ourse, qui court autour de l'étoile brillante.

— Pourquoi elle court ? demanda Kallik.

La petite oursonne connaissait la réponse, mais elle posait toujours la question.

— Parce que c'est la période de Neigeciel, et qu'elle chasse le phoque et le béluga. Avec ses pattes griffues rapides et puissantes, Silaluk est la plus grande chasseresse des terres gelées.

Kallik adorait qu'on lui parle de la force de Silaluk. Nisa poursuivit à mi-voix :

— Mais quand vient Brûleciel, la glace fond et le gibier disparaît. Malgré sa faim, Silaluk doit continuer à courir, parce que trois chasseurs sont à ses trousses. Pendant de nombreuses lunes, ils la traquent sans relâche. Et à la fin de Brûleciel, ils la rattrapent, l'encerclent et la frappent avec leurs lances.

« Le sang de Silaluk asperge alors le sol et les feuilles des arbres, qui se colorent en jaune et en rouge.

— Et la Grande Ourse ? souffla Taqqiq. Elle meurt ?

— Oui, fit Nisa.

Kallik frissonna. À chaque fois, ce passage l'effrayait.

— Mais quand revient Neigeciel, la glace se reforme, et Silaluk renaît. Et la chasse recommence, saison après saison.

Kallik se pelotonna contre la douce fourrure blanche de sa mère. Dans la pénombre, elle distinguait à peine les parois incurvées de la tanière creusée dans la neige. Dehors, un vent féroce hurlait, balayant l'étendue gelée. Des tourbillons glacés s'engouffraient dans le tunnel qui menait au-dehors. Kallik n'aurait pas aimé sortir dans ce froid.

Il faisait bon à l'intérieur. Son frère et elle étaient en sécurité. Kallik savait que leur mère les protégerait, du moins jusqu'à ce qu'ils soient assez grands et malins pour se défendre tout seuls.

Taqqiq donna un petit coup de patte sur le nez de sa sœur et s'exclama :

— Ouh, la peureuse !

Ses yeux luisaient dans le noir.

— Même pas vrai ! protesta Kallik.

— Si, c'est vrai !

— N'importe quoi ! gronda l'oursonne en plantant ses griffes dans la neige.

— Si, tu as peur !

Nisa fourra son museau dans le cou de Kallik et demanda :

— Qu'est-ce qui se passe ? Ce n'est pas la première fois que je vous raconte la légende de la Grande Ourse.

Kallik expliqua :

— C'est parce que c'est bientôt la fin de Neigeciel. La glace va fondre et on ne pourra plus chasser… Et on aura tout le temps très faim, parce que ce sera Brûleciel.

Nisa soupira. Kallik sentit les muscles des épaules de sa mère rouler sous la fourrure.

— Je ne voulais pas t'effrayer, petite étoile, murmura la maman ourse, sa truffe noire posée contre celle de sa fille. Brûleciel n'est pas si terrible. Il faut manger de l'herbe et des baies, mais… on survit.

— De l'herbe et des baies ? Qu'est-ce que c'est ? l'interrogea Kallik.

— Est-ce que c'est aussi bon que le phoque ? voulut savoir Taqqiq.

— Non, mais l'important, c'est que ça vous maintienne en vie, répondit Nisa. Je vous montrerai, une fois sur la terre ferme.

Pendant quelques battements de cœur, Kallik n'entendit que le vent siffler et frapper les murs de neige. Elle se rapprocha de sa mère.

— Tu es triste, maman ?

— Ne t'inquiète pas, chuchota Nisa en la caressant du bout du museau. Rappelle-toi la légende de la Grande Ourse : quoi qu'il arrive, la glace se reforme toujours. Et chaque année, au début de Neigeciel, tous les ours se rassemblent en attendant son retour. Silaluk reviendra. C'est une survivante, comme nous tous.

— Moi, j'ai peur de rien ! fanfaronna Taqqiq, le poil hérissé. Je peux tuer un phoque ! Traverser l'océan à la nage ! Vaincre tous les ours polaires du monde !

— Je n'en doute pas, intervint sa mère. Mais c'est l'heure de dormir maintenant !

L'ourson tourna en rond pour s'installer confortablement. Kallik posa le menton sur le dos de Nisa et ferma les yeux.

Sa maman avait raison : tant que sa famille serait auprès d'elle, Kallik n'aurait rien à craindre.

Lorsque Kallik se réveilla, un silence presque surnaturel régnait dans la tanière. Une lueur pâle filtrait à travers ses parois, peignant des ombres bleues et roses sur la fourrure de Taqqiq et de Nisa. Au début, l'oursonne crut qu'elle avait de la neige dans les oreilles. Elle secoua la tête ; puis sa mère grogna dans son sommeil, et Kallik comprit que la tempête s'était arrêtée.

Elle donna un petit coup de patte à son frère.

— Réveille-toi, Taqqiq ! La tempête est finie !

Taqqiq se redressa, à moitié endormi. D'un côté,

sa fourrure était tout aplatie. Ça lui faisait une drôle de tête de travers. Kallik éclata de rire.

— Allez, debout, gros paresseux ! Viens, on va jouer dehors !

— J'arrive, grommela Taqqiq.

— Vous n'irez nulle part sans moi, marmonna Nisa les yeux fermés.

Kallik sursauta : elle pensait que sa mère dormait.

— On n'ira pas loin, maman, promit-elle. Dis oui ! S'il te plaîîît !

Nisa souffla par les narines, et sa fourrure ondula, comme agitée par une bourrasque.

— À condition que je vous surveille, annonça-t-elle.

Elle se hissa sur ses pattes massives et se retourna. La tanière était étroite ; les oursons durent se plaquer contre la paroi pour la laisser passer.

Nisa avança en reniflant le sol et entreprit d'écarter la neige que le vent avait entassée devant l'entrée.

Rien qu'en observant l'arrière-train de sa mère, Kallik savait qu'elle était tendue.

— Elle s'inquiète pour rien, murmura-t-elle à l'oreille de son frère. Les ours polaires sont les plus gros animaux des terres gelées, non ? Tout le monde a peur de nous ! Qui oserait nous attaquer ?

— Un très, très gros ours polaire, espèce de tête de phoque ! rétorqua Taqqiq. T'es toute minus, au cas où tu l'aurais pas remarqué !

Kallik se hérissa.

— Je ne suis peut-être pas grande, mais je sais me défendre !

— C'est ce qu'on va voir ! s'écria Taqqiq.

Comme Nisa avait fini de dégager l'entrée de la tanière, il glissa le long du tunnel en pente et sortit de l'abri.

Alors que Kallik l'imitait, de la neige lui tomba sur le museau. Elle secoua la tête pour s'en débarrasser. L'air pur et froid lui piqua les narines. Il sentait bon le poisson, la glace et les nuages. Enfin dehors ! Dans la tanière, elle avait l'impression d'être prisonnière. D'un coup de patte, elle envoya un morceau de neige à Taqqiq, qui l'évita en jappant avant de se mettre à courir derrière elle.

— C'est moi, le grand méchant morse ! Je vais t'attraper, Kallik !

Il rampa sur la neige en faisant semblant de nager et se jeta sur sa sœur. Les deux oursons roulèrent sur le sol en poussant de petits cris aigus. Quelques secondes plus tard, Kallik se dégagea en s'exclamant :

— Même pas mal !

— Grrr ! rugit Taqqiq. Le grand méchant morse est très fâché !

Il expédia une gerbe de neige scintillante... qui atterrit sur la figure de Nisa, assise non loin de là à les surveiller. L'ourse renversa Taqqiq d'un coup de patte et grogna :

— Finie, la bataille de boules de neige ! C'est l'heure de manger !

— Youpiii ! s'écria Kallik en sautillant autour de sa mère.

Ils n'avaient rien avalé depuis le début de la tempête, deux jours plus tôt. L'estomac de Kallik faisait encore plus de bruit que Taqqiq quand il imitait le morse en colère.

Nisa et ses petits se mirent en route. Au fur et à mesure qu'ils avançaient, les nuages gris qui cachaient le soleil s'épaississaient. Bientôt, la brume les enveloppa. Pas un bruit, juste le crissement des pattes dans la neige.

Taqqiq s'arrêta et se frotta les yeux en gémissant :

— J'aime pas ces nuages !

— Le brouillard est notre ami, expliqua Nisa. Il nous dissimule. Ainsi, le gibier ne nous voit pas.

— Mais moi non plus, j'y vois rien ! râla Taqqiq. Je déteste marcher dans les nuages ! C'est tout mouillé !

— Moi, ça m'est égal, déclara Kallik en inspirant une bouffée de brume.

— Grimpe sur mon dos, proposa Nisa à son ourson.

Avec un grognement de joie, Taqqiq s'allongea sur le dos de sa mère et Nisa repartit, Kallik sur ses talons.

L'oursonne aimait l'odeur du brouillard. C'était un parfum épais, un peu humide, mélangé à celui de la glace, de l'océan, du sel, du poisson et du sable des rivages lointains. Elle leva les yeux vers sa mère qui s'était arrêtée, la truffe en l'air.

— Essayez de trouver une odeur différente de celle de la glace et de la neige, ordonna Nisa à ses petits.

Taqqiq, boudeur, enfonça son museau dans la fourrure de sa mère. Kallik, elle, se mit à flairer l'air en levant et en baissant la tête. Elle avait beaucoup à apprendre si elle voulait un jour se débrouiller seule.

Soudain, Nisa partit au petit trot. Taqqiq dut s'agripper à elle pour ne pas tomber. Bientôt Kallik repéra ce que sa mère avait vu : un trou dans la glace. Dessous, il y avait la mer. Et dans la mer, il y avait… *des phoques* !

Les phoques faisaient des trous dans la glace pour respirer avant de replonger dans l'eau. Nisa renifla les bords du trou. Kallik l'imita. Ça sentait le phoque.

Toujours perché sur le dos de Nisa, Taqqiq ronchonna :

— Les phoques sont trop bêtes ! Pourquoi ils restent dans la mer s'ils ne peuvent pas respirer sous l'eau ? Ils n'ont qu'à vivre sur la terre, comme nous !

— Peut-être qu'ils ont peur qu'on les attrape et qu'on les mange, supposa Kallik.

— Chut ! les coupa Nisa. Concentrez-vous ! Vous sentez cette odeur ?

— Oui, dit Kallik.

C'était une odeur de graisse et de poils salés, évoquant un peu celle du poisson, mais en plus fort. Kallik en avait l'eau à la bouche.

Nisa s'accroupit au bord du trou et murmura :

— Descends, Taqqiq. Va t'allonger près de ta sœur.

L'ourson glissa le long du flanc de sa mère et alla rejoindre Kallik.

— Plus un geste, ordonna Nisa. Et plus un bruit.

Les oursons obéirent. Ils avaient déjà chassé le phoque avec leur mère, alors ils savaient comment faire. La première fois, Taqqiq n'avait pas su se tenir tranquille. Nisa lui avait giflé le museau et l'avait grondé. S'il ne se taisait pas, il ferait fuir leur dîner, lui avait-elle expliqué. Les petits avaient compris la leçon. À présent, ils attendaient, immobiles, comme elle leur avait appris.

Les yeux fixés sur le trou, les oreilles dressées et les narines frémissantes, Kallik était à l'affût du moindre changement d'odeur.

Une eau sombre clapotait contre les bords déchiquetés du trou. Des bulles aux formes étranges dansaient sous la glace. Elles semblaient vivantes.

Taqqiq se pencha et regarda les bulles avancer.

— Tu sais ce que maman a dit sur les ombres sous la glace, murmura-t-il.

Il prit une voix d'outre-tombe :

— Ce sont des ours mooorts qui te surveeeillent !

— Même pas peur ! répondit Kallik. Ils ne peuvent rien me faire, puisqu'ils sont prisonniers.

— Sauf si la glace fond ! Mou-ha-ha !

— Chut ! gronda Nisa sans quitter le trou des yeux.

Taqqiq posa la tête sur ses pattes. Peu à peu, ses paupières s'alourdirent, et il s'endormit. Kallik, elle, replia ses pattes pour se maintenir éveillée.

Et soudain, plouf ! une tête grise, toute luisante, avec une fourrure tachetée de noir, apparut à la surface de l'eau. Vive comme l'éclair, Nisa plongea le museau dans le trou. Elle attrapa le phoque, le projeta sur la glace et le tua d'un seul coup de griffes.

Kallik en resta muette d'admiration : elle ne serait jamais aussi rapide !

L'ourse ouvrit le ventre du phoque et remercia les Esprits des glaces. Alléchés par l'odeur de la viande fraîche, les oursons s'approchèrent. Mmm !... Graisse fondante et peau élastique... Kallik en salivait d'avance. Elle planta les crocs dans la chair et en arracha un gros morceau.

Tout à coup, Nisa releva la tête, le poil dressé. Kallik flaira l'air. Là-bas ! Un ours blanc, avec une fourrure jaunâtre pleine de neige, et des pattes aussi larges que la tête de Kallik. Il marchait d'un pas tranquille en soufflant et en grommelant. Et il se dirigeait droit sur eux.

Taqqiq se hérissa, mais sa mère l'attira vers elle en murmurant :

— Vite, on s'en va.

Elle fit demi-tour et se mit à courir en poussant les oursons devant elle. Le cœur tambourinant dans sa poitrine, Kallik grimpa le long de la pente au triple galop. Et si après avoir dévoré le phoque, l'ours avait encore faim ? Elle jeta un coup d'œil derrière elle. L'ours déchiquetait le phoque à grands coups de dents. Ouf ! Sauvés !... pour le moment.

— C'est pas juste ! s'écria l'oursonne. C'était *notre* phoque ! Pourquoi c'est lui qui le mange, alors que c'est toi qui l'as attrapé ?

— Lui aussi doit manger pour vivre, expliqua leur mère. Ne faites jamais confiance aux autres ours : ils n'hésiteront pas à voler votre nourriture. Chaque repas est une bataille. Mais ensemble, on veillera les uns sur les autres, et on survivra.

Le frère et la sœur échangèrent un regard. Kallik ne laisserait jamais tomber sa famille. Les rares ours qu'elle avait rencontrés ressemblaient tous au gros voleur jaune : ils étaient énormes, féroces et effrayants. Il n'y avait pas d'amitié, chez les ours polaires. C'était ça, la loi de la glace.

— Tout ira bien tant qu'on restera tous les trois, promit Nisa. Avec un peu de ruse et de patience, on peut toujours trouver de quoi manger. Je m'occuperai de vous jusqu'à ce que vous soyez assez grands pour chasser sans moi.

Elle tourna la tête à gauche.

— Vous sentez ?

Kallik huma l'air : ça ne sentait ni le phoque ni le poisson. Cette odeur, elle ne la connaissait pas. Mais elle était agréable.

— C'est quoi, à ton avis ? demanda-t-elle à Taqqiq.

Ramassé sur lui-même, l'ourson semblait à l'affût d'une proie. Soudain, il bondit et aplatit un flocon sur le sol. Kallik leva les yeux : il s'était remis à neiger, ce qui paraissait amuser son frère bien plus que la chasse.

— Concentre-toi ! le gronda-t-elle. Tu dois apprendre à te débrouiller tout seul.

— À vos ordres, chef ! rigola Taqqiq en faisant le pitre.

— Suivez-moi, siffla Nisa. Et taisez-vous ! Pour surprendre une proie, il faut savoir masquer son odeur. Comme ça...

Et elle s'enfonça dans le couloir d'eau qui séparait deux plaques de glace.

Lorsqu'il se hissa sur la berge, Taqqiq s'ébroua en ronchonnant :

— C'est malin, maintenant, je suis tout mouillé !

— C'est fait exprès, gronda Nisa. Comme ça, les proies ne nous détecteront pas.

— Et le gros ours de tout à l'heure ne pourra pas nous suivre, enchaîna Kallik.

— Espérons-le, fit l'ourse en posant la truffe contre celle de sa fille.

Pendant qu'ils avançaient, l'odeur se précisait. C'était un mélange de sel, de sang et d'océan. Et puis, Kallik aperçut une forme sombre et gigantesque échouée sur la glace. Un phoque géant ? Non, c'était une baleine à moitié dévorée, au flanc lacéré par des griffes et marqué de traces de dents. Autour d'elle, la neige était toute rouge.

— C'est une baleine grise, expliqua Nisa. Elle a dû être tuée par un ours et abandonnée sur la rive.

Kallik n'en revenait pas : quel ours était assez fort pour chasser un animal aussi gros et le traîner hors de l'eau ? Mais bon, il n'avait pas tout mangé, c'était déjà ça ! L'oursonne affamée arracha un morceau de viande...

... que sa mère l'obligea à recracher en lui donnant un coup de museau.

— Il faut d'abord remercier les Esprits des glaces, la réprimanda-t-elle.

Elle toucha le sol avec sa truffe et murmura :

— Merci, Esprits des glaces, pour nous avoir guidés jusqu'à ce repas.

Kallik et Taqqiq répétèrent les paroles de leur mère, ensuite ils purent enfin manger à leur faim.

À la tombée de la nuit, le brouillard se dissipa. Les étoiles étincelaient dans le ciel. Maintenant qu'elle était rassasiée, Kallik avait bien chaud. Allongée sur la glace entre son frère et sa mère, elle écoutait le silence. Le vent s'était tu ; la mer ne faisait plus de bruit.

— Maman, raconte-moi encore la légende des esprits-qui-vivent-sous-la-glace, demanda-t-elle.

Nisa se mit parler, l'air grave.

— Quand un ours blanc meurt, son esprit s'enfonce sous la glace, jusqu'à ce qu'on ne voie plus que son ombre. Mais il ne faut pas avoir peur, petite étoile.

Les esprits sont là pour te guider. Si tu es gentille, ils veilleront toujours sur toi et t'aideront à trouver un abri et de la nourriture.

— Je préférerais que ce soit toi, protesta Kallik en frissonnant.

— Je serai là aussi, lui promit Nisa.

— C'est quoi, cette étoile très brillante ? intervint Taqqiq. C'est la seule qui ne bouge jamais. Une fois, je l'ai même vue en plein jour.

— On l'appelle l'Étoile-Guide.

— Pourquoi ?

— Parce qu'elle guide celui qui la suit vers un endroit très lointain, où la glace ne fond jamais.

— Jamais jamais ? haleta Kallik. Alors, là-bas, Brûleciel n'existe pas ?

— Il n'y a ni Brûleciel, ni baies, ni Fonteglace, répondit Nisa. Là-bas, les esprits des ours dansent dans le ciel et le peignent de mille couleurs.

— Si on y allait ? proposa Taqqiq. Ça a l'air trop bien !

Kallik approuva de la tête : elle avait très envie de courir sans s'arrêter pour vivre dans cet endroit magique où elle n'aurait plus rien à craindre.

— C'est beaucoup trop loin, grommela Nisa.

Elle fixa le vide de ses yeux noirs. La lune alluma des éclats argentés dans ses iris.

— Mais peut-être qu'un jour on devra y aller…, acheva-t-elle.

— C'est vrai ? s'exclama Kallik. Quand ?

Nisa posa la tête sur ses pattes. Ce soir, elle ne répondrait plus à aucune question. Kallik se roula en boule et se pelotonna contre elle en regardant les paillettes de glace scintiller sous la lune. Quand elle se fut endormie, elle rêva d'esprits d'ours qui sortaient de sous la glace et qui dansaient sur la terre gelée, aussi légers que des flocons de neige.

Le lendemain matin, Kallik fut réveillée par une sorte de grincement, évoquant à la fois un ours qui bâille et le vent qui hurle sur la mer. Sauf qu'il n'y avait pas de vent : le bruit provenait du sol.

La truffe en l'air, Nisa marchait en rond autour de ses petits, l'air inquiet.

Kallik se leva et s'ébroua. Il faisait beaucoup plus doux et beaucoup plus humide que la nuit précédente. Elle réveilla son frère d'un coup de museau.

Taqqiq sauta sur ses pattes en hurlant :

— Alerte au morse !

Surprise, Kallik tomba à la renverse. Nisa se retourna d'un bloc et grogna :

— Arrête de faire l'idiot, Taqqiq ! Ce n'est pas le moment de jouer ! Il faut partir.

Sans plus attendre, elle s'élança sur la glace, et les oursons se dépêchèrent de la rattraper. La mauvaise humeur de Nisa étonnait Kallik : ils avaient bien eu le droit de jouer, la veille ! Pourquoi pas aujourd'hui ?

Soudain, elle entendit le même grincement, plus fort, cette fois. Nisa s'arrêta et pencha la tête pour écouter : le bruit venait de sous leurs pattes. L'attitude de sa mère fit comprendre à Kallik qu'un danger approchait.

Tout à coup, un craquement terrible déchira l'air, suivi d'un bruit de succion. Kallik sentit le sol s'incliner. Elle perdit l'équilibre et se mit à glisser vers la mer. Avec un cri de terreur, elle tenta de se retenir. En vain ! Ses griffes dérapaient sur la neige gelée.

Avec sa grosse patte, Nisa attrapa sa fille, la posa sur le sol et la poussa devant elle. À présent, il y avait une crevasse dans la glace battue par des vagues noires.

— Waouh ! jappa Taqqiq. T'as vu comment ça s'est cassé, Kallik ? T'as failli tomber à la mer et disparaître pour toujours !

Blottie entre les pattes de sa mère, Kallik regardait le morceau de glace qui dérivait sur l'eau.

— C'est beaucoup trop tôt, murmura leur mère en longeant la crevasse. On n'a pas encore chassé ! Comment pourra-t-on survivre sur la terre ferme sans avoir mangé suffisamment de viande ?

— Est-ce que... est-ce que c'est Brûleciel ? bégaya Kallik.

— Non, pas encore. Mais, d'une saison à l'autre, la glace fond de plus en plus tôt, et on a de moins en moins de temps pour chasser.

Elle souffla par les narines.

— Si ça continue, ça sera la catastrophe.

— Qu'est-ce qu'on va faire s'il n'y a plus de glace ? gémit Kallik.

— Si on quittait la banquise ? proposa Taqqiq. Il faut toujours quitter la banquise à Fonteglace !

— Non ! assena sa mère. Nous devons continuer à chasser. Sinon, nous ne passerons pas Brûleciel.

— Mais..., fit Kallik.

Elle s'interrompit, effrayée par les vagues qui leur léchaient les pieds.

— Il faut continuer, insista Nisa. Sinon, nous mourrons tous les trois.

Et elle repartit, Taqqiq sur ses talons. Kallik regarda la crevasse aux bords déchiquetés. Combien de temps, pour rejoindre la terre ferme ? Et si la banquise fondait avant qu'ils n'y parviennent ?

CHAPITRE 2

LUSA

— **E**t voici Lusa, la plus jeune ourse noire du zoo, disait le guide. Elle a cinq mois. Les ours noirs ne sont pas tous noirs : il y en a des gris, et même des brun clair. Mais Lusa est noire de la truffe à la queue. D'ailleurs, son nom veut dire « noir » en langue choctaw. Là-bas, vous pouvez voir sa mère, Ashia, et son père, King. Les ours d'Amérique du Nord ont du mal à s'adapter à un nouvel environnement, mais les ours noirs s'acclimatent mieux que les grizzlis, ou que les ours polaires. King a été recueilli à la lisière de la forêt. Il serait mort de faim si nous ne l'avions pas emmené ici. Lusa est née en captivité ; elle se sent en sécurité parmi les humains.

Il y avait encore un peu de neige sur l'herbe et les rochers du Creux des ours, mais ça sentait le temps des feuilles. Déjà, quelques crocus violets pointaient le bout de leur nez. Debout sur ses pattes arrière, Lusa se tourna vers les petits Museaux-plats qui l'appelaient depuis la crête. L'oursonne, qui ne comprenait pas tout ce que disaient les Museaux-plats, avait appris à reconnaître son nom. Leurs pépiements aigus lui faisaient mal aux oreilles, mais Lusa aimait entendre leurs rires.

Elle se remit à quatre pattes et se dirigea vers ce qu'elle appelait la Forêt : trois grands arbres entourant un tronc couché qui ne pourrissait jamais. Elle se releva et fit semblant d'essayer d'attraper un papillon. Ce numéro amusait toujours les Museaux-plats. Quand tous les spectateurs la regardèrent, elle courut le long du tronc et sauta sur le sol.

Le guide se pencha par-dessus la rambarde et lui lança une poire. Lusa en grignota un bout. Aussitôt, on lui donna une petite tape sur l'épaule. Avant même de se retourner, Lusa sut qui venait l'embêter : c'était Yogi, le deuxième ourson du Creux. Avec King ou Ashia, Lusa n'aurait eu aucune chance de garder la poire. Mais Yogi n'était pas une menace, même s'il avait une saison de plus qu'elle.

Yogi était né dans un autre zoo. Il avait été amené au Creux des ours alors qu'il était encore bébé. Il poussa un grognement et se mit debout, dévoilant la tache blanche qu'il avait sur le poitrail.

— Donne-m'en un peu ! ordonna-t-il.

Yogi dépassait Lusa d'une bonne tête, mais l'oursonne ne se laissa pas impressionner.

— Non ! C'est à moi !

Elle fourra la poire dans sa gueule et se mit à courir autour de l'enclos. Yogi se lança à sa poursuite. Les Museaux-plats éclatèrent de rire.

Lusa escalada la Montagne – les quatre gros rochers qui s'entassaient au fond du Creux. Elle était imbattable à ce jeu. Yogi grimpait derrière elle en soufflant et en grognant. Une fois qu'il fut au sommet, Lusa émit un rire joyeux, sauta sur le sol...

... et fonça droit dans King, qui paressait au soleil.

— Grrr... grommela celui-ci.

La seconde d'après, Yogi le heurtait à son tour.

Cette fois, King se mit en colère. Il se leva d'un bond, gifla les deux oursons et rugit :

— Du balai, sales petites boules de poils !

Yogi courut jusqu'à la Barrière, à l'autre bout du Creux. Lusa le rejoignit en rigolant.

— Tu trouves ça drôle ? grogna l'ourson, qui avait encore la fourrure toute hérissée. Ton père me fiche une de ces trouilles !

— C'est un nounours, fanfaronna Lusa. Il est gros, il crie fort, mais il ne mord pas. Tu sais bien qu'il est un peu sourd ! Il ne nous a pas entendus arriver, et ça l'a surpris.

Et grâce à cette ruse, Yogi avait oublié la poire. Lusa s'assit, la mangea tout entière et lécha le jus qui avait coulé sur ses pattes.

— Ben moi, je le dérangerai plus ! déclara Yogi. Je vais rester là et regarder les ours blancs de l'autre côté de la Barrière.

Pour Lusa, la Barrière était une bonne chose. Les grizzlis marron et les ours polaires géants lui faisaient un peu peur. Parfois, la nuit, ils poussaient des rugissements assourdissants qui la réveillaient en sursaut.

Elle se retourna en entendant des pas : Ashia, sa mère, se dirigeait vers eux.

— Je vous ai dit cent fois de ne pas déranger King, les réprimanda-t-elle. Je ne veux plus vous voir traîner près de lui. Compris ?

— D'accord, fit Lusa. Yogi, si on allait jouer à cache-cache dans les Grottes ?

Les Grottes, c'était une grande dalle grise coincée dans un coin du Creux et abritée par une corniche en pierre blanche. Les deux oursons y trottinèrent et se recroquevillèrent dans l'ombre.

— Chut ! murmura Lusa. Y a un grizzli qui approche ! Il est là-bas, dans la Forêt !

— Il veut nous manger, souffla Yogi. Il va nous tuer avec ses grosses griffes !

— Faut pas bouger. Comme ça, il ne pourra pas nous entendre.

— Le premier qui bouge a perdu ! lança Yogi.

Immobile comme une pierre, Lusa se concentra sur les odeurs familières que lui apportait le vent : King, qui faisait la sieste. Ashia, qui essayait de trouver la nourriture que les Museaux-plats avaient fait tomber dans le Creux, Stella, qui se grattait le flanc contre un arbre.

Depuis sa cachette, Lusa voyait l'un des ours blancs dans l'enclos voisin. Il tournait en rond dans la petite mare. Lusa n'aimait pas les ours blancs. Ils ne lui parlaient presque jamais, ils restaient tout seuls sur leur île de pierre grise ou dans leur mare d'eau glacée. Tant mieux. Les ours blancs étaient trois fois plus gros qu'Ashia. Rien qu'en songeant à la façon dont ils happaient la viande que leur lançaient les soigneurs

Museaux-plats par-dessus le mur, Lusa frémit d'horreur.

Elle frissonna et se gratta la truffe. Yogi bondit sur ses pattes.

— T'as perdu !

— Zut ! grommela l'oursonne, furieuse de s'être laissé distraire par ces gros mangeurs de viande. M'en fiche, reprit-elle. Si un grizzli arrive, je grimperai dans un arbre. Je grimpe mieux que n'importe qui !

— Si on allait demander à Stella de nous raconter l'histoire de l'Arbre de l'ours ? proposa Yogi en remuant les oreilles.

Ils coururent rejoindre leur amie. Stella était plus âgée que les oursons, mais plus jeune que King. Elle connaissait des tas d'histoires sur les ours sauvages et sur la vie dehors.

— Dis, Stella, tu nous racontes l'histoire de l'ours qui se transforme en arbre ? demanda Yogi.

— Oh, oui ! insista Lusa. S'il te plaîîît !

L'ourse à la fourrure brun-roux s'assit en grognant, leva les pattes avant et murmura :

— Vous sentez l'odeur de la forêt ?

Les oursons levèrent la truffe et dilatèrent les narines. Aussitôt, un million de parfums frappèrent celles de Lusa. Ça sentait les Museaux-plats qui se promenaient dans le zoo, leur nourriture, les animaux enfermés dans d'autres enclos... Elle décela aussi une odeur de plantes. Était-ce celle dont parlait Stella ?

— Je crois que oui, répondit Yogi.

— Avec un flair comme le tien, ça m'étonnerait, ricana Lusa.

— Il y a très longtemps, commença Stella, la forêt recouvrait toute la région. Les ours pouvaient aller où bon leur semblait. Et puis les Museaux-plats l'ont détruite. Mais il en reste un petit bout, loin, très loin... C'est là que King a été trouvé.

— Comment elle est ? demanda Yogi.

— Il y a des arbres à perte de vue. Personne ne pourrait la traverser, même en courant toute la journée.

— Même pas un grizzli ? s'étonna Lusa.

On disait que les grizzlis étaient rapides comme le vent. Du moins, les grizzlis sauvages, pas celui d'à côté, qui passait son temps à dormir et à ronchonner.

— Même pas un grizzli, confirma Stella. Et chaque arbre est habité par l'esprit d'un ours.

— Alors, il doit y avoir beaucoup, beaucoup d'ours ! commenta Lusa.

— Ça aussi, c'était il y a longtemps. L'un d'eux vivait ici, dans le Creux, bien avant votre naissance. Il était très, très vieux.

— Comment il s'appelait ? s'enquit Lusa.

L'ourse rousse parut réfléchir à la question. Elle se gratta l'oreille avant de répondre :

— Vieil-Ours.

Lusa la soupçonnait d'inventer.

— Un jour, reprit Stella, à l'heure du petit déjeuner, on le trouva couché sous son arbre préféré. Pas assis dans l'arbre, comme à son habitude, mais allongé par terre. On lui donna des petits coups de patte et de museau, mais... il ne bougeait plus. Son odeur avait changé. Il était mort.

Lusa et Yogi frissonnèrent.

— Les Museaux-plats l'emmenèrent, mais son esprit resta ici, avec nous. Il nous frôlait comme la bise d'hiver, nous hérissant le poil et nous glaçant jusqu'aux griffes. Et lorsque le soleil disparut derrière la corniche du Creux, on vit quelque chose se dessiner dans le tronc du plus gros arbre de la Forêt.

— Qu'est-ce que c'était ? haleta Yogi, les yeux écarquillés.

— Le visage d'un ours, répondit Stella. Parce que l'esprit de Vieil-Ours vit encore dans cet arbre.

Sidérés, Lusa et Yogi regardèrent l'arbre avec de grands yeux. Vieil-Ours les surveillait-il ? Lusa n'aurait pas aimé être emprisonnée dans un tronc. Elle préférait courir et respirer les odeurs du Creux.

— Viens, Yogi, on va le voir ! s'exclama-t-elle.

L'ourson la suivit en se dandinant. Pendant quelques secondes, ils contournèrent l'arbre à pas prudents, les yeux fixés sur le tronc noueux, puis Lusa se hissa sur ses pattes arrière et s'écria :

— Il est là !

— Je vois rien, bougonna Yogi.

— T'es aveugle, ou quoi ? Ici, c'est l'œil... Et là, ce truc noir, c'est la truffe...

Lusa voulut l'examiner de plus près. Soudain, la truffe remua ! Lusa fit un bond en arrière et glapit :

— Il est vivant ! Il est en train de sortir de l'arbre !

Elle courut se cacher derrière un rocher, le cœur battant à tout rompre. Étonnée que Yogi ne se soit pas enfui, elle se tourna vers lui. L'ourson se roulait par terre en hurlant de rire.

— Ta truffe, c'est un scarabée ! T'as eu peur d'un scarabée tout riquiqui !

— Je le savais, d'abord ! prétendit Lusa en se léchant la patte.

— Yogi ! Lusa ! les appela un soigneur.

C'était l'heure du dîner. Avec un grognement de plaisir, Yogi s'élança vers la rambarde. Tous les ours le suivirent. King se leva sans se presser. C'était le plus vieux, et le plus fort, et comme toujours, il aurait le fruit le moins gâté.

Lusa repéra tout de suite ses baies préférées. Un soigneur passa la main à travers la grille et lui gratta le dos avec un long bâton, juste à l'endroit où ça la démangeait. L'oursonne se contorsionna de plaisir.

Après avoir mangé, Yogi et Lusa dormirent un peu, puis ils se remirent à se chamailler et à jouer.

Lorsque le soleil se coucha, les Museaux-plats allumèrent leurs lumières orange. À cause d'elles, Lusa avait du mal à distinguer les étoiles. Elle regarda King s'allonger sur les rochers. Lui seul dormait dehors ; les autres ours passaient la nuit dans la tanière, où ils étaient à l'abri en cas de pluie. Un jour, Ashia avait expliqué à Lusa que son père détestait la tanière. Il se sentait pris au piège, entre les murs carrés de pierre blanche. King avait vraiment de drôles d'idées ! Il faisait bon, à l'intérieur ; Lusa se sentait en sécurité. En plus, on n'entendait ni les grognements des grizzlis, ni les ronflements des ours blancs, ni les bourdonnements des insectes.

Lusa roula sur le dos et contempla le ciel à travers le rectangle transparent qui se découpait dans le toit.

Il y avait une étoile, très brillante, qui semblait l'observer comme toutes les nuits.

— Stella ? souffla l'oursonne. C'est quoi, cette étoile ?

— On l'appelle la Gardienne, répondit Stella d'une voix endormie. Elle a trouvé sa place, et elle n'a plus envie de bouger. Comme nous.

— Est-ce que c'est l'esprit d'un ours ? intervint Yogi.

— Tu sais bien que les esprits vivent dans les arbres, grogna Stella. Ma mère m'a parlé d'une petite ourse noire qui vit dans le ciel...

— Ah oui ? s'étonna Lusa.

Stella plissa le museau, comme si elle essayait de se rappeler l'histoire.

— Oui... La petite ourse a posé l'étoile brillante sur sa queue, et elle est poursuivie par un grizzli géant qui veut la lui voler. Il lui court après, mais il n'arrive jamais à l'attraper, parce que les ours noirs sont petits, mais rapides et très malins.

— Et la petite ourse garde l'étoile, conclut Lusa, ravie.

Elle aussi était rapide et maligne. Plus que Yogi, et plus que le grizzli de l'enclos voisin.

Stella dormait déjà. De drôles de vrombissements s'échappaient de ses narines.

Lusa n'avait pas sommeil. Elle avait envie d'aller voir la petite ourse noire et le grizzli courir dans le ciel. Elle sortit de la tanière, grimpa sur le plus haut rocher de la Montagne et tendit le cou vers les étoiles.

Mais elle eut beau plisser les yeux, elle ne vit que la grosse étoile brillante, immobile dans le ciel orangé.

La Gardienne. La gentille étoile qui veillerait toujours sur elle.

CHAPITRE 3

Toklo

Caché dans les herbes hautes au bord du sentier, Toklo écoutait le vent qui faisait bruire la cime des arbres. Les rafales emmêlaient sa fourrure brune.

Il dressa l'oreille : un craquement... Des aiguilles de pin qui se brisent... Il s'efforça de respirer au rythme du vent. Soudain, il bondit et planta les griffes dans la chair de sa proie. Elle se tortilla et battit des pattes, mais Toklo avait des griffes aiguisées comme des rasoirs. Il la cloua au sol, poussa un grondement féroce et enfonça ses crocs dans son cou.

— TOKLO, RECULE !

Le cri de sa mère ramena l'ourson à la réalité. Il lâcha le bout de bois qu'il avait dans la gueule et leva les yeux.

Une bête-feu ! Elle fonçait droit sur lui.

L'ourson bondit en arrière. La bête-feu rugit, cracha une horrible fumée noire et passa à toute allure dans une flaque de boue. Toklo fut couvert de terre et de neige fondue.

— Berk ! cracha-t-il en s'essuyant la figure avec ses coussinets.

Oka, sa mère, lui donna un coup de patte.

— Tu as encore désobéi ! gronda-t-elle. Combien de fois t'ai-je dit de ne pas aller sur le sentier Noir ? Tu aurais pu te faire tuer !

Elle avait frappé un peu fort ; Toklo avait les oreilles qui sifflaient.

— Si je me fâche tout rouge, les bêtes-feux auront peur de moi, se vanta-t-il. Regarde !

Il se dressa sur ses pattes arrière, dénuda ses crocs acérés et poussa un grognement tonitruant.

— Les bêtes-feux n'ont peur de *rien*, assena Oka. Et elles seront toujours plus grosses que toi !

Dommage. Parce que si Toklo était plus gros qu'une bête-feu, personne n'oserait le gronder. Ni lui donner d'ordres. Ni l'obliger à manger des pissenlits. Sa mère et lui avaient marché toute la journée dans la vallée, sans rien trouver à avaler. C'était bientôt Sautepoisson, mais il y avait encore un peu de neige sur la montagne. De loin, ça faisait penser à de la fourrure blanche étendue sur des rochers. Par endroits, on voyait des plaques de terre parsemées d'herbe, de perce-neige et de pissenlits.

Oka tourna la tête, regarda son autre ourson, blotti sous un arbre et lança :

— Prends exemple sur ton frère. Il est obéissant, lui, au moins.

— Tobi est un nul ! ricana Toklo.

— Tobi est malade, riposta leur mère. Va lui chercher des pissenlits. Et manges-en un peu, toi aussi, au lieu de marcher sur le sentier Noir.

— J'aime pas les pissenlits ! rouspéta Toklo en posant la patte sur sa truffe. Je préfère le lapin !

Oka creusa la neige et grommela :

— Arrête de râler ! La nourriture se fait rare. Si tu ne veux pas mourir de faim, tu ne dois pas faire le difficile.

Toklo émit un grognement moqueur : Tobi avalait n'importe quoi ! Il ne comprenait pas pourquoi son frère restait tout le temps allongé en gémissant, ni pourquoi il avait toujours l'air aussi triste.

L'ourson cueillit quelques pissenlits et alla le rejoindre.

— Tiens, mange ! ordonna-t-il. Sinon, tu pourras pas marcher, et je vais encore me faire disputer !

Tobi ouvrit ses yeux marron foncé, se redressa péniblement et se mit à mâchonner un pissenlit.

Toklo soupira : son frère était un bon à rien. Il ne pouvait pas chasser ni jouer à la bagarre. Il marchait comme un escargot. Même manger le fatiguait.

Toklo goba son pissenlit en faisant la grimace. « Si Tobi n'était pas là, on mangerait du lapin tous les jours », songea-t-il. Toklo avait l'âme d'un vrai chef. Quand il serait grand, il s'occuperait de sa famille. Ils verraient...

Les yeux fixés sur le sentier Noir, Oka rejoignit ses petits en flairant l'air. Toklo sentit le sol trembler sous ses pattes : une autre bête-feu arrivait.

— On s'en va d'ici, décida Oka. Il n'y a plus de pissenlits.

Enfin ! Avec un jappement de joie, Toklo s'élança vers la colline boisée qui dominait le sentier Noir. Ça sentait si bon, là-haut !

La voix d'Oka claqua comme un fouet :

— Pas par là, Toklo !

Les épaules de l'ourson s'affaissèrent.

— Je veux essayer d'attraper une chèvre !

— Non. Tobi n'arrivera jamais à grimper, et il fait beaucoup trop froid, là-haut. On doit rester dans la vallée jusqu'à Fonteneige.

Toklo se mit debout et se boucha les oreilles. Il était encore puni à cause de cet idiot de Tobi. Ce n'était pas juste !

— On va longer le sentier Noir, annonça Oka. Avec un peu de chance, on trouvera une proie renversée par une bête-feu.

Toklo partit au pas de course. Il aimait être en tête, ça lui donnait l'impression de commander. Oka le suivit d'un pas lent. Régulièrement, elle s'arrêtait pour aider Tobi à avancer en le poussant avec son museau. Toklo les attendit à l'ombre des arbres, un peu à l'écart, au cas où une bête-feu quitterait le sentier Noir.

Au bout d'un temps qui lui parut interminable, Oka aboya un ordre. Toklo tourna la tête et aperçut le cadavre d'un renne.

— Aide-moi à le traîner jusque sous les arbres, lui dit sa mère.

Avec un frisson de dégoût, Toklo planta les dents dans la viande durcie par le gel. La chair craqua. L'ourson banda ses muscles, tira le renne en arrière et s'essuya la langue avec ses pattes.

— C'est dégoûtant !

— Estime-toi heureux d'avoir de la viande ! grogna Oka. Viens manger, Tobi.

L'ourson malade détacha un bout de chair et l'avala.

Toklo mordit dans le flanc du renne. Il dut batailler pour en arracher un morceau… qu'il recracha immédiatement.

— Berk-berk-berk ! C'est pas bon ! Ça sent le moisi !

— Au nom des Grands Esprits des eaux, arrête de faire le bébé ! s'emporta Oka. Tu es un grizzli ou un écureuil ?

— Un grizzli ! martela Toklo.

— Eh bien, les grizzlis ne pleurnichent pas. Tu ne veux pas manger ? Tant pis pour toi !

Toklo gratta le sol en boudant. Les cadavres, c'était pour les charognards ! Si maman lui permettait d'aller en forêt, il tuerait une chèvre ou un lapin d'un seul coup de dents. Un vrai grizzli ne mangeait pas des restes pourris !

En traînant les pattes, il alla s'asseoir derrière un arbre, se frotta le nez et se mit à ronchonner. Pas trop doucement : sa mère et Tobi devaient savoir qu'il n'était pas content.

Toklo et Tobi avaient quitté leur tanière-berceau deux lunes auparavant. Depuis, ils tournaient en rond dans la vallée. Au début, Toklo l'avait trouvée immense, mais maintenant, il commençait à s'ennuyer. Il se sentait prisonnier, entouré de toutes ces montagnes. Et la plupart du temps, il devait se contenter de plantes, de termites et de racines, qu'il déterrait avec ses longues griffes.

Le sentier Noir n'était pas le seul endroit habité par les bêtes-feux. Plus haut, un autre chemin coupait la vallée en deux : le Sentier d'Argent. Les bêtes-feux y passaient à toute vitesse, en hurlant et en sifflant comme des oiseaux géants. Oka les appelait les « bêtes-serpents », parce qu'elles ressemblaient à des serpents de métal monstrueux. À un endroit, les deux sentiers se croisaient. Un jour, Toklo et sa famille y avaient trouvé un énorme tas de grain. Toklo détestait le bruit des bêtes-serpents, mais il était quand même resté pour manger le grain.

Soudain, une longue plainte retentit dans le lointain. Toklo dressa l'oreille, puis il bondit sur ses pattes et traversa le champ enneigé en criant :

— Maman ! Maman ! Tu te rappelles le grain qu'on a trouvé l'autre jour ? On n'est pas loin ; je vais vous y conduire !

Sans enlever les griffes plantées dans le cou du renne, Oka lui lança d'un ton las :

— On a dû le ramasser depuis longtemps.

— Mais peut-être que quelqu'un en a encore renversé, argumenta l'ourson. On pourrait au moins aller voir !

Oka sembla réfléchir. Puis elle soupira :

— D'accord. Passe devant.

Lorsqu'il aperçut le Sentier d'Argent de l'autre côté de la corniche, Toklo sentit son cœur s'emplir de fierté. Il l'avait trouvé ! Il avait remonté une piste tout seul, comme un grand !

Dans la tanière-berceau, sa maman lui parlait de sa vie d'avant. Une fois, elle avait traqué un caribou pendant trois jours. Elle avait marché, marché dans la neige, jusqu'à ce que le caribou s'épuise. Et alors, Oka l'avait tué. Elle avait eu de quoi manger pendant des jours.

« Parfois, la neige et les rochers dévalent la montagne, lui avait-elle raconté un matin. À Sautepoisson, on peut déterrer des écureuils dans cette terre-qui-glisse. »

L'estomac de Toklo gargouilla. Un écureuil… Rien que d'y penser, il en avait l'eau à la bouche. En attendant, il devrait se contenter de grain.

À cause de Tobi.

Toklo jeta un coup d'œil en arrière. Son frère marchait d'un pas incertain. Oka posait le museau sur sa tête pour l'encourager. Toklo plissa la truffe : Tobi ne serait jamais un grand chasseur. Alors que lui-même sèmerait la terreur dans les montagnes.

Tout à coup, une odeur vint frapper ses narines : le grain ! Toklo descendit la pente en courant et s'arrêta devant le gros tas jaune. Il plongea le museau dedans et s'empiffra sans attendre les autres. Les graines avaient un goût de poussière, mais elles étaient bien meilleures que le renne pourri-qui-pue.

Enfin, Oka et Tobi arrivèrent. Ils reniflèrent le tas de grain et se mirent à manger les céréales croquantes.

Soudain, le sol trembla. Toklo recula : bête-serpent droit devant ! Elle filait à la vitesse d'un ouragan avec un bruit de ferraille. Quand elle passa devant les trois ours, elle lâcha un long mugissement strident.

Toklo enfouit la tête entre ses pattes et se boucha les oreilles.

Et puis il y eut un craquement. Des pas lourds sur des branches mortes. Toklo se retourna d'un bloc en poussant un grognement de défi.

Un grizzli gigantesque se dirigeait vers eux. Il ne se pressait pas : il savait qu'il était le plus fort. Il avait une vilaine cicatrice sur le flanc, et une lueur de folie dans les yeux.

— Viens, Toklo ! ordonna Oka, qui poussait Tobi devant elle.

Elle était presque en haut de la pente.

— J'ai pas fini de manger ! protesta le petit ours en griffant le sol.

— Obéis immédiatement !

Toklo traversa le Sentier d'Argent en courant. Le métal froid lui mordit les coussinets. Oka et ses petits remontèrent la pente et galopèrent jusqu'à la lisière de la forêt.

Toklo s'assit sous un arbre. Bouillonnant de rage, il regarda le grizzli se gaver de grain. C'était vraiment trop injuste ! Ce grain était à lui ; il l'avait trouvé le premier ! Ce gros plein de soupe n'avait pas le droit de le manger ! Pourquoi maman ne s'était-elle pas interposée ? Si elle se faisait un peu plus respecter, ils se coucheraient moins souvent le ventre vide.

Il tourna la tête : sa mère faisait les cent pas en grommelant. Toklo rejoignit son frère, qui s'était pelotonné contre une congère. Maman semblait furieuse. Peut-être qu'elle allait se battre, après tout ! Toklo avait les griffes qui le démangeaient. Ce grizzli ne lui faisait pas peur. Toklo avait envie de lui montrer de quoi il était capable !

Brusquement Oka se tourna vers ses oursons et cracha :

— Regardez-vous ! Vous n'avez que la peau sur les os !

Toklo écarquilla les yeux, stupéfait. Ce n'était quand même pas sa faute s'il était trop maigre !

— Du grain... Des pissenlits..., continuait Oka. Ce n'est plus possible ! Il vous faut de la viande fraîche !

Toklo faillit s'exclamer : « Ça fait des lunes que je te le dis ! », mais ce qu'il vit dans les yeux de sa mère l'en empêcha. Oka donnerait sa vie pour ce cher Tobi. C'est sûrement ce qui finirait par arriver, d'ailleurs...

D'un coup de griffes, l'ourse déterra une touffe d'herbe, puis une deuxième, puis une troisième, et les expédia dans les airs. Toklo frissonna, effrayé par la colère de sa mère.

Enfin, Oka se calma. Elle poussa un profond soupir, alla s'asseoir sous un arbre et murmura :

— Nous devons aller de l'autre côté de la montagne.

Les deux oursons se regardèrent. De l'autre côté de la montagne ? Là où elle disait toujours qu'ils n'iraient jamais, à cause de Tobi ?

— Là-bas, il y a une rivière, expliqua-t-elle. Une rivière immense, remplie de saumons. Si nous restons dans la vallée à manger du grain et des feuilles, vous vous affaiblirez et vous mourrez.

Malgré l'inquiétude qui perçait dans la voix de sa mère, Toklo frémit d'excitation. Voyager... Traverser la montagne... Chasser le saumon... *Manger* du saumon... Goûter à cette chair grasse, ferme et juteuse... L'aventure, quoi ! Toklo allait enfin découvrir la vraie vie !

Et devenir un vrai grizzli.

CHAPITRE 4

Kallik

Kallik s'éloigna de la crevasse, les yeux fixés sur les ombres qui tourbillonnaient sous la glace. Derrière elle, l'eau faisait de drôles de gargouillis. Qu'arrivait-il aux esprits des ours quand la glace cassait comme ça, brusquement ? Étaient-ils entraînés au fond de l'océan ? Allaient-ils rejoindre les phoques ?

Kallik poserait la question plus tard. La truffe au ras du sol, sa mère avançait à pas prudents. La glace pouvait se briser à tout moment. Même Taqqiq n'osait plus parler. Il suivait Nisa sans se plaindre ni jouer avec les flocons de neige.

Les trois ours marchèrent toute la journée sans voir un seul phoque.

— Quand la banquise se brise, les phoques n'ont plus besoin de faire des trous pour respirer, expliqua Nisa à ses petits. Du coup, on a du mal à les repérer.

Soudain elle se figea. Kallik retint son souffle : encore une crevasse ?

Nisa poussa un grognement et partit au triple galop, le museau en l'air. Les oursons échangèrent un regard étonné et s'élancèrent dans son sillage. Bientôt, Nisa s'arrêta devant un petit monticule de neige.

Un tas de neige. Quelle déception ! Et Kallik qui croyait que leur mère avait trouvé à manger !

Nisa renifla le monticule, se dressa sur ses pattes arrière et retomba lourdement dessus. Une fois. Deux fois. Trois fois. Ses grosses pattes écrasèrent le tas de neige et... deux petits phoques blancs apparurent. Nisa les tua d'un seul coup de patte. Les ours remercièrent les esprits et dévorèrent les bébés phoques.

— C'était une tanière-berceau, fit Nisa une fois le repas terminé. Les phoques mettent bas sur la banquise. Ils cachent leurs petits sous la neige pendant qu'ils vont pêcher.

Maintenant que Kallik avait le ventre plein, les choses lui paraissaient plus faciles. Brûleciel pouvait arriver : sa maman veillerait sur son frère et sur elle.

Elle aperçut alors deux ours blancs. Ils étaient deux fois plus gros qu'elle-même et son frère. Ils découvrirent leurs crocs et s'élancèrent au pas de charge vers la tanière des phoques.

— Partons ! glapit Nisa. Nos proies vont attirer tous les ours des environs !

Ils détalèrent sans demander leur reste.

Plus loin, Nisa se tourna vers l'endroit où le soleil se levait et elle poussa un rugissement. Attention ! Encore un ours ! Vite ! Changement de direction ! Les pattes de Kallik touchaient à peine le sol. Elle n'avait pas vraiment peur : elle aimait sentir le vent dans sa fourrure et entendre le bruit mat de ses coussinets sur la glace. Et avec sa mère et son frère, elle ne risquait rien.

Les jours passèrent, il faisait de plus en plus chaud. Kallik grandit, grossit et forcit. Chaque nuit, en observant l'Étoile-Guide, elle voyait la lune changer de forme. D'abord, elle s'arrondissait et ressemblait à un bébé phoque roulé en boule. Ensuite, elle se ratatinait et devenait aussi mince qu'une boucle de fourrure flottant dans le ciel.

Un matin, Nisa aperçut un jeune phoque qui, allongé sur la glace, paressait au soleil. D'un petit mouvement d'oreilles, elle ordonna à ses petits de ne pas faire de bruit. Les trois ours s'avancèrent sur la pointe des pattes. Nisa donna un coup de museau à Taqqiq et murmura :

— À toi de jouer ! Fais exactement comme je t'ai montré.

Kallik s'immobilisa : c'était une première pour Taqqiq. Elle espérait qu'il allait réussir à attraper ce phoque. Elle le regarda glisser sur la neige en silence.

Tout à coup, le phoque leva la tête, poussa un cri effrayé, se hissa sur ses nageoires et se rua vers le trou creusé dans la glace. Mais Nisa fut la plus rapide. Elle bondit sur lui, le cloua au sol avec ses griffes, le traîna hors de l'eau, lui planta les crocs dans le cou et le secoua pour l'achever.

— Tu es la plus forte, maman ! s'exclama Kallik en sautillant jusqu'à elle.

— J'aurais pu l'avoir ! grommela Taqqiq. J'y étais presque !

— Tu t'en es bien sorti, commenta sa sœur. Moi, j'aurais été repérée avant.

— Ça prend du temps, de devenir chasseur, dit Nisa. Mais vous y arriverez.

Après le repas, Kallik alla se reposer. Le soleil la faisait haleter et lui brûlait les poils. Elle aurait bien aimé pouvoir enlever sa fourrure. Elle se plaqua sur le sol pour trouver un peu de fraîcheur. Et dire que ce n'était pas encore Brûleciel... À ce rythme, ils allaient fondre comme des glaçons !

À la nuit tombée, l'oursonne eut l'impression de revivre. Il faisait bien meilleur quand la neige luisait sous la lune à perte de vue et que les petits bouts de glace scintillaient dans le ciel.

— Demain, nous quitterons la banquise, soupira Nisa.

— Déjà ? demanda Kallik en posant le menton sur la patte de sa mère. On peut pas rester encore un peu ?

— Non, c'est trop dangereux, répondit Nisa avec tristesse. Il faut rejoindre la terre ferme avant Fonte-glace.

— Comment c'est, là-bas ? voulut savoir Taqqiq. Est-ce qu'il y a beaucoup de neige ?

— Par endroits, il n'y en a pas du tout, expliqua Nisa. À la place, il y a de la terre, des pierres, de l'herbe et des rochers.

— De l'herbe ? De la terre ? répéta Kallik.

— La terre ressemble à de la neige marron, sauf qu'elle n'est pas froide. L'herbe ressemble à des poils verts qui sortent du sol et qui se mangent.

Kallik ne comprenait pas.

— Des poils… *verts* ?

— Le vert est une couleur, lui dit Nisa. Un peu comme le bleu de la mer, mais en plus clair.

— Est-ce qu'il y a des ours ? l'interrogea Taqqiq. Et des phoques ? Et des oies ?

— On trouve surtout des petits renards au museau pointu et à la fourrure de la couleur du brouillard. Des castors aux grandes dents carrées et à la queue plate, et aussi des caribous aux pattes immenses et à la ramure majestueuse.

— C'est quoi, une ramure ? s'enquit Kallik.

— Ça ressemble à de grosses griffes qui poussent sur la tête.

L'oursonne arrêta de poser des questions. Des dents carrées ? Des griffes qui poussent sur la tête ? Des poils qui sortent du sol ? Tout cela lui faisait drôlement peur ! Elle n'avait pas trop envie d'aller sur la terre ferme…

Toute la nuit, Kallik fit des rêves peuplés de créatures bizarres et de neige marron. Elle fut soulagée quand sa mère la réveilla.

Le soleil effleurait à peine le sol. Ses rayons pâles allumaient des vaguelettes dorées sur la glace.

— Debout ! feula Nisa d'une voix rendue rauque par l'inquiétude. Vite ! On s'en va !

— Mais j'ai faim, pleurnicha Taqqiq. Je veux du phoque !

— On n'a pas le temps de chasser, déclara Nisa en s'élançant sur la banquise.

Les oursons eurent du mal à la suivre. Par endroits, Kallik sentait la glace craquer sous ses pattes. Le sol glissait plus que d'habitude, et cela l'effrayait.

Soudain, Taqqiq hurla. Kallik se retourna d'un bloc. Une crevasse venait d'apparaître, dessinant une rivière dans la glace. Horrifiée, Kallik vit les eaux noires engloutir son frère. Deux secondes plus tard, la glace se brisa sous ses propres pattes et se pencha sur le côté. Kallik glissa à son tour vers l'océan. D'instinct, elle planta ses griffes dans la glace. Le morceau de banquise se remit d'aplomb.

— Au secours ! criait Taqqiq.

On ne voyait plus que son museau et ses pattes avant qui fouettaient l'eau.

Et d'un coup, la banquise craqua. Kallik se retrouva seule sur une petite plaque de glace, au milieu d'une mer sombre. Affolée, elle jetait des regards à gauche, à droite. Encore à gauche. Tout s'était passé si vite !

Sans hésiter, Nisa plongea dans l'eau, attrapa Taqqiq par la peau du cou, nagea jusqu'à une autre plaque de glace flottante, grimpa dessus et y déposa son ourson. Taqqiq reprit son souffle, se releva et s'ébroua.

— Saute, Kallik ! Rejoins-nous ! ordonna Nisa.

L'oursonne déglutit, terrifiée.

— Non ! J'y arriverai jamais !

— Si ! Courage ! Ce n'est pas loin !

Kallik renifla les bords de son île. L'eau sentait le poisson, le sel et le froid. Elle plongea une patte dedans et la retira avec un frisson. Cette eau était gelée ! En plus, Kallik n'avait jamais nagé. Quand elle traversait les canaux de la banquise, elle avait toujours pied. Est-ce que tous les ours savaient nager ? Et si elle se noyait ? Et si elle rencontrait un esprit ?

— Dépêche-toi, Kallik ! appelait Nisa. Tu peux le faire !

Allez, du cran ! Kallik prit une profonde inspiration, ferma les yeux et se jeta à la mer.

L'eau salée lui entra dans les narines et dans la gueule. Kallik cracha et se mit à nager à contre-courant. Par moments, elle disparaissait sous les vagues.

« Pas de panique, se répétait-elle. Je vais nager jusqu'à cette île, parce que maman m'attend. Et comme ça, Taqqiq verra que je suis aussi forte que lui. »

Mais le courant était puissant. Il essayait sans cesse de la tirer en arrière. L'eau lui brûlait les yeux, lui piquait le nez, l'empêchait de voir la rive. Kallik distinguait à peine la silhouette de sa mère et de son frère, debout sur leur île de glace.

Alors qu'elle était à bout à forces, elle sentit les dents de Nisa s'enfoncer dans la fourrure de son cou. L'ourse la souleva et la posa à côté d'elle.

Pantelante, Kallik s'ébroua et se pelotonna contre son frère. Le vent la glaçait jusqu'à la moelle. Elle crut qu'elle ne réussirait jamais à se réchauffer.

— Je déteste nager, murmura Taqqiq.

— Moi aussi, lâcha la petite ourse blanche en grelottant. Je préfère encore être poursuivie par un ours géant !

— Malheureusement, il va falloir retourner à l'eau, leur annonça Nisa.

Les oursons lui lancèrent un regard horrifié.

— On va nager d'île en île. On prendra le temps

de bien se reposer entre chaque passage, les rassura-
t-elle.

— Est-ce que c'est toujours comme ça avant Brûleciel ? voulut savoir Kallik.

Nisa ne répondit pas tout de suite. Elle posa le
museau contre celui de sa fille et chuchota :

— Non. D'habitude, on ne commence à nager
qu'aux abords de la terre ferme. Mais si vous faites
exactement ce que je vous dis et si vous restez près
de moi, on s'en sortira.

Kallik se mit debout, passa les pattes autour du cou
de Nisa et murmura :

— Je resterai toujours près de toi, maman.

— Et tu m'obéiras ? Promis juré sur la tête de la
Grande Ourse ?

Kallik fit signe que oui.

— Alors, en route ! Il faut nager jusqu'à ce gros
bout de glace, là-bas.

Sur ces mots, elle s'enfonça doucement dans l'eau.

La petite île tangua. Kallik planta les griffes dans
la glace. Taqqiq se campa sur ses pattes et fit osciller
la plaque encore plus.

— Fais comme moi, Kallik, c'est marrant !

— Pas question, ronchonna l'oursonne, qui avait
un peu mal au cœur. Si on tombe, on risque de se
noyer.

Taqqiq se mit en boule et sauta en soulevant une
grande gerbe d'eau.

— Idiot ! s'emporta Kallik. Maintenant, je suis
toute mouillée !

— Dans la mer, tu le seras encore plus ! se moqua
Taqqiq.

— Tu vas me le payer ! s'exclama Kallik en plongeant à son tour.

Le courant l'entraîna avec violence en arrière. Kallik battit des pattes, encore et encore. Lorsqu'elle atteignit l'autre île, la petite ourse ne sentait plus ses muscles. Elle songea à Silaluk : comment faisait-elle pour courir dans le ciel sans jamais s'arrêter ?

Elle planta ses griffes dans la glace et tenta de se hisser dessus. Son arrière-train semblait peser une tonne. Taqqiq l'aida à grimper en la poussant. Ensuite, Kallik se retourna, enfonça les dents dans la fourrure de son frère et le tira hors de l'eau.

Une fois ses petits en sécurité, Nisa les regarda avec fierté.

— Vous nagez comme des phoques ! s'exclama-t-elle. Bravo !

Kallik remarqua que leur mère tremblait. De froid ? Ou... de peur ?

Cette nouvelle île était plus grande que les autres. Les trois ours la traversèrent à pas prudents sous un ciel chargé de nuages gris. Kallik regrettait le soleil, maintenant. Le vent glacé la mordait cruellement. L'oursonne marchait entre sa mère et son frère pour se protéger du froid.

Rien qu'à l'odeur, Kallik savait que ces gros nuages étaient gorgés de pluie. Elle avait vu la pluie, une fois. Quand il pleuvait, le sol devenait glissant, la glace fondait plus vite, et se déplacer devenait très compliqué.

Il faisait presque nuit quand ils atteignirent le bord de l'île. Nisa flaira l'air et contempla le bout de la banquise qui s'étendait de l'autre côté du canal. Les derniers rayons du soleil faisaient scintiller la neige, la colorant de bleu. Kallik avait l'impression qu'un immense espace séparait les deux îles.

— Il va encore falloir nager ? gémit-elle.

— Oui, répondit Nisa. La terre ferme se trouve par là. Tu ne la sens pas ?

Non, l'odeur de l'eau était trop forte. Kallik protesta :

— Je suis fatiguée !

— Moi aussi, lui fit écho Taqqiq. Je sens plus mes pattes !

— Je vais vous faire traverser l'un après l'autre, dit Nisa.

Ce qui signifiait qu'elle allait devoir traverser le canal trois fois. Kallik devait se montrer forte et courageuse pour que sa maman soit fière d'elle.

Taqqiq s'affala sur le sol et posa la tête sur ses pattes.

— Toi d'abord, dit-il à sa sœur.

— D'accord, dit Kallik.

— Je suis très fière de toi, petite étoile, lui souffla sa mère à l'oreille. Tout ira bien, tu verras.

La mère et la fille plongèrent en même temps. Nisa glissait entre les vagues avec grâce, sans à-coups. Kallik essaya de l'imiter, mais l'eau lui entrait dans les narines, la faisant suffoquer. C'était dur de nager en toussant et en crachant.

L'océan déchaîné l'entourait de toutes parts. Kallik ne voyait plus la rive. Par moments, elle ne voyait même plus sa mère.

Soudain, elle décela une odeur. Une odeur de sang et de danger. Elle se retourna : un aileron noir tranchait la surface sombre de la mer. Il était énorme, et il fondait droit sur elle !

— Attention ! rugit Nisa. Une orque ! Fonce, Kallik !

En entendant la colère et la terreur dans la voix de sa mère, Kallik paniqua. Elle battit des pattes à l'aveuglette en faisant du sur-place. Sur la glace, c'était facile de courir vite, mais ici, dans les eaux noires et froides, on n'avait aucune prise.

Un deuxième aileron apparut. Puis un troisième et un quatrième.

— Kalliiik ! hurla Nisa. Vite ! Sors de l'eau !

— Qu'est-ce qui se passe, maman ? appela Taqqiq de loin. Où vous êtes ? Je vous vois plus !

Nisa se mit à nager en cercle autour de Kallik tout en griffant les orques, qui ripostèrent par de grands coups de tête.

Brusquement, une queue immense émergea de l'eau et frappa Nisa de plein fouet.

— MAMAAAN ! cria Kallik.

La terreur la submergea. Nisa la poussa en avant et cria :

— Sauve-toi !

Puis elle se retourna vers les orques, les babines retroussées.

Soudain, une tête géante sortit de l'eau : une mâchoire béante, des dents toutes jaunes, de petits yeux noirs et cruels. Kallik se mit à nager à toute allure en gémissant d'effroi. Elle ne savait pas où elle allait. Elle ne savait plus où se trouvait l'île. Elle ne savait pas si l'océan avait une fin.

Et puis, elle se cogna la truffe contre quelque chose. Elle haleta. De la glace ! Elle avait réussi ! Elle s'agrippa au bord de la plaque et tenta de grimper dessus, mais ses pattes refusèrent de sortir de l'eau. Elle pensa très fort à la Grande Ourse, aux Esprits des glaces et hurla :

— Au secours ! Au secooours !

Deux secondes plus tard, sa mère apparut à côté d'elle, replongea et la propulsa sur la glace. Kallik se releva, se retourna et tendit la patte vers Nisa.

— Vite, maman, attrape ma patte !

Mais l'océan attirait Nisa vers le fond. Des tourbillons se formaient dans le creux des vagues. Et les ailerons se rapprochaient, toujours plus vite, toujours plus nombreux.

Nisa se défendit avec l'énergie du désespoir. Elle griffa les têtes, lacéra les flancs, découpa les chairs. Très vite, l'eau se teinta de rose. À présent, l'océan sentait le sang et la peur.

Kallik se pencha en avant.

— Accroche-toi à moi, maman ! Je vais…

Paf ! Un puissant coup de queue l'envoya bouler sur le sol vingt pas en arrière, l'assommant à moitié. Elle entendit des bruits horribles sous la glace : un son mat, suivi d'un rugissement et d'un claquement de dents.

Et puis plus rien.

Les orques avaient disparu.

Et Nisa aussi.

Soudain, une voix retentit dans le lointain :

— Mamaaan ! Kalliiik ! Mamaaan !

Kallik allongea le cou, mais les nuages étaient trop bas ; on n'y voyait pas à deux pas. Elle ouvrit la gueule, mais aucun son n'en sortit.

— Maman ! pleurait Taqqiq. Kallik ! Où vous êtes ? Me laissez pas tout seul !

Kallik ferma les yeux, très fort. Elle voulait crier à son frère qu'elle était là, qu'elle allait bien, qu'elle allait venir le chercher, mais elle n'arrivait même pas à bouger. Ses pattes étaient toutes molles, comme de la neige fraîche.

Le vent redoubla de violence. Il soufflait en mugissant et transperçait sa fourrure trempée. Kallik entendit Taqqiq l'appeler encore, puis sa voix s'éloigna. Elle comprit qu'il courait le long de son îlot de glace. Quelques minutes plus tard, sa voix s'évanouit. Autour de Kallik, il n'y eut plus que la neige, les ténèbres et le vent.

Alors elle se roula en boule et sombra dans l'inconscience.

CHAPITRE 5

LUSA

— **Q**u'est-ce que tu paries, que je grimpe plus haut que toi ? s'écria Yogi.

— C'est ce qu'on va voir ! rétorqua Lusa.

La petite ourse noire planta les griffes dans le tronc de l'arbre et se hissa à la force de ses pattes avant. Elle pouvait battre Yogi ! Elle était petite, mais très rapide.

Le soleil filtrait à travers les feuilles naissantes, jetant des ombres mouvantes sur les deux oursons. Alignés le long du mur, les Museaux-plats les montraient du doigt en poussant des cris joyeux. King et Ashia paressaient sous l'arbre.

— Oooh ! s'exclama Yogi. Y a ton amoureux, Lusa ! Viens voir, il se roule par terre ! C'est trop marrant !

— Je me marierai jamais avec un grizzli ! Les grizzlis sont trop gros, et ils râlent tout le temps.

— Ouais, enchérit Yogi, surtout Grognon.

Lusa et Yogi avaient surnommé ainsi le vieux grizzli qui vivait de l'autre côté de la Barrière, parce qu'il ne leur parlait jamais et ronchonnait sans arrêt.

Lusa aussi voulait voir Grognon. Elle attrapa une branche et tira sur ses pattes.

— Grrroumpf !

Elle regarda en bas : debout au pied de l'arbre, King levait la truffe vers elle.

— Je vais pas tomber, lui promit Lusa. Je fais attention !

Elle parvint à se hisser sur la branche.

— Tu es beaucoup trop lente, grogna son père. Et tu t'y prends très mal ! Il faut monter par petits bonds. Enlace le tronc et pousse avec les pattes arrière.

Lusa réfléchit. Avec cette technique, elle avait neuf chances sur dix de se retrouver par terre. Mais King ne parlait jamais pour ne rien dire.

— Tu es sûr que je vais pas tomber ? lui demanda-t-elle.

— Évidemment ! renifla-t-il. Les ours noirs sont les meilleurs grimpeurs de la forêt. Les ours noirs ne tombent *jamais*, Lusa. Pas même les bébés comme toi.

Il se remit à quatre pattes et s'éloigna en grommelant. Yogi était en train de redescendre. Toutes les dix secondes, il s'arrêtait pour chercher des insectes sous l'écorce.

« Les meilleurs grimpeurs de la forêt. » Les paroles de King résonnaient aux oreilles de Lusa. En se les répétant, elle se sentait plus forte, plus hardie. Elle se mit debout sur la branche, ficha les griffes dans le tronc, inspira à fond, s'appuya sur ses pattes arrière et poussa...

Elle fit un grand bond vertical. Waouh ! Quel saut ! Lusa réessaya. Encore plus haut ! Et hop ! hop ! hop ! elle grimpa à toute vitesse le long du tronc, jusqu'à la cime de l'arbre.

Épuisée mais ravie, elle s'assit sur la plus haute branche. Vus d'ici, les ours ressemblaient à des chenilles brunes, noires et blanches.

Elle embrassa le paysage du regard. Pour la première fois, l'oursonne pouvait voir tout le Creux, et même au-delà. Un sentier gris serpentait entre les enclos, où elle aperçut des animaux étranges qui ressemblaient aux Museaux-plats, mais avec des poils et une longue queue. L'un d'eux était suspendu à une branche avec une seule main. Lusa le trouva très agile.

Plus loin, il y avait une mare qui donnait envie de plonger. De drôles d'oiseaux rose vif aux ailes repliées et au bec crochu y pataugeaient. Certains se tenaient en équilibre sur une seule patte. Ils étaient si calmes !

Soudain un rugissement lui fit dresser l'oreille. Il provenait de l'autre côté de la mare. Des rochers gris plantés d'arbres et de broussailles formaient là-bas un à-pic. Lusa avait déjà entendu rugir cet animal ; à présent, elle le voyait en chair et en os. Il était allongé au soleil sur une pierre plate. De temps à autre, il bâillait à s'en décrocher la mâchoire. Il avait une fourrure dorée rayée de noir, quatre pattes velues, une longue queue et d'énormes crocs affûtés. Lusa frissonna.

Combien d'autres créatures étranges vivaient ici ? Et dans les forêts et les montagnes dont Stella lui avait parlé ? Le monde ne se limitait pas au Creux des ours ; le ciel paraissait s'étendre à l'infini. Lusa se dit qu'elle n'était pas au bout de ses surprises...

La tête pleine d'images colorées, elle descendit de l'arbre et courut rejoindre Stella.

L'ourse noire dormait au soleil. Lusa grimpa sur son dos pour la réveiller.

— Mmm ! grommela Stella.

Lusa se mit à parler à toute vitesse :

— C'est quoi, cet animal de la couleur d'une papaye, avec des rayures noires et des grosses dents ? Et le grand oiseau rose aux pattes toutes maigres ? Et l'espèce de Museau-plat poilu, avec une queue qui ressemble à un ver de terre géant ? Est-ce qu'ils parlent comme nous ? Tu les as déjà rencontrés ?

— Du calme ! grogna Stella en se bouchant les oreilles. Tu as escaladé l'Arbre de l'ours, ou quoi ?

— Ouiii ! s'exclama Lusa, qui ne tenait pas en place. Même que j'ai failli toucher le ciel ! Alors, c'est quoi, tous ces animaux ? Comment ils s'appellent ?

— Le gros chat rayé, c'est le tigre, expliqua Stella. Et les oiseaux hauts sur pattes sont des flamants roses.

— Fla-mants-roses, articula l'oursonne.

— C'est ça. Les petits grimpeurs, eux, s'appellent des singes.

Stella réfléchit un instant avant de poursuivre :

— Pourquoi tu ne vas pas poser toutes ces questions à ton père ? Il a vécu dans la forêt ; il en sait bien plus que moi.

« Bizarre..., songea Lusa. D'habitude, Stella adore raconter des histoires. » Elle décida quand même de suivre son conseil. Elle se dirigea vers la petite mare qui bordait le mur et attendit que King ait fini de boire. Dès qu'il sentit sa présence, il leva la tête et la regarda d'un air méfiant.

Elle demanda timidement :

— Tu m'as vue grimper ?

— Oui, répondit King d'un ton bourru. Tu as des progrès à faire.

Et il se remit à boire.

— J'ai aperçu des animaux bizarres, depuis là-haut, lui dit-elle sans se décourager. Des singes, un tigre, et des fla-mants-roses. Tu en as déjà vu, toi ?

— Non, gronda King.

— Tu peux me raconter des histoires sur la forêt ?

— Non.

Il fit demi-tour et se dirigea vers la Montagne. Lusa le suivit en trottinant.

— T'avais déjà vu une mare aussi grande que celle des fla-mants-roses ? Est-ce que tu t'es baigné dedans ? Est-ce que tu sais nager ?

King se dressa sur ses pattes arrière et griffa l'air d'un geste agacé.

— Les ours noirs nagent mieux que les poissons, grimpent plus haut que les singes et courent plus vite que les tigres, assena-t-il. Ce sont les rois de la forêt. Ils savent tout faire. Tout !

Il se remit à quatre pattes et la foudroya du regard. King avait une stature impressionnante. Lusa se recroquevilla sur le sol.

— Fiche-moi la paix, avec tes questions ! De toute manière, tu ne sortiras jamais d'ici !

Il sauta sur un rocher, lui tourna le dos et s'assit sans ajouter un mot.

Penaude, Lusa alla se réfugier dans les Grottes et se roula en boule sous la corniche de pierre blanche. Elle ne comprenait pas la réaction de King. Il devait vraiment la détester... Le Creux des ours lui paraissait si petit, maintenant ! Qu'y avait-il de l'autre côté des murs ? Qu'y avait-il au-delà du sentier gris ? Qu'y avait-il dans la vraie forêt, et dans les vraies montagnes ?

Soudain, Lusa sentit une truffe fraîche contre son flanc. Elle leva les yeux : Ashia était là.

— Ne sois pas triste, petite mûre. Je t'ai vue monter à l'arbre : tu t'es très bien débrouillée. Ne fais pas attention à King.

— J'ai rien fait de mal, pleura Lusa. Je lui ai demandé de me parler des tigres et des singes, et lui, il m'a grondée !

— C'est parce qu'il n'aime pas parler, expliqua sa mère.

— Il dit que les ours noirs sont les rois de la forêt.

— Il a raison ! On nous remarque moins que les tigres ou les flamants roses et on fait moins de bruit que les singes. King vivait seul là-dedans, il ne pouvait compter que sur lui-même. C'est pour ça qu'il reste dans son coin et qu'il n'a pas d'amis.

— Moi, j'aime bien avoir des amis, déclara Lusa en posant la tête sur la patte de sa mère.

— Si tu vivais dans la nature, tu n'aurais pas d'amis. Là-bas, c'est chacun pour soi. On a plus de chances de rester en vie quand on est seul.

— Ah bon ?

— Tu veux vraiment savoir à quoi ressemble la vie d'un ours sauvage ? demanda Ashia.

— Oh, oui !

— Alors, suis-moi, murmura Ashia. Et surtout, ne fais pas de bruit !

Lusa lui emboîta le pas, tout excitée. Sa mère connaissait-elle un moyen de sortir d'ici ? Pourquoi ne lui en avait-elle jamais parlé ?

Soudain, Ashia se figea et leva la truffe.

— Chut ! fit-elle. Il y a un tigre qui approche !

Lusa fit la moue.

— Arrête. Tu fais semblant !

— Imagine qu'on est dans une forêt, chuchota sa mère. Une forêt obscure et profonde, remplie d'animaux sauvages. Tu sens cette odeur ? C'est celle d'un tigre !

Lusa pouffa : l'odeur était celle de Yogi ! Tapies dans les herbes hautes, elles regardèrent l'ourson passer devant elles et aller se frotter contre la Barrière. Yogi n'avait rien d'effrayant.

Un mouvement, là-haut, dans la Montagne, attira leur attention. King se levait en s'étirant.

— Un grizzli ! s'exclama Ashia. Il ne faut pas qu'il nous voie ! Vite ! Grimpe dans cet arbre !

Elle sauta sur une branche basse et escalada le tronc, imitée par Lusa. Hop ! Hop ! Hop ! C'était encore plus facile que tout à l'heure. Lusa aimait bien jouer aux ours-de-la-forêt, finalement.

Elle s'installa sur une branche à côté d'Ashia et contempla, songeuse, le Creux qui s'étendait en contrebas. La vie était-elle aussi amusante, dehors ? Et si son papa se trompait ? Si, un jour, Lusa sortait d'ici et devenait un vrai ours sauvage ?

CHAPITRE 6

Toklo

Tels des ours traquant leurs proies, les ombres du soir s'avançaient lentement dans la forêt. Des rayures roses et dorées éclaboussaient le ciel. Depuis plusieurs minutes, Toklo s'agitait sous les arbres : il s'entraînait à attraper du poisson.

Soudain, il se jeta sur un tas d'aiguilles de pin et gronda :

— Je t'ai eu, petit saumon !

Il gratta la neige, fit un bond de côté et s'attaqua à un autre tas d'aiguilles.

— Toi aussi, gros saumon !

— Arrête, gémit Tobi. Tu me fais mal aux oreilles.

Tobi n'avait pas bougé depuis qu'ils avaient atteint le sommet de la colline. Toklo enviait les grizzlis qui avaient des frères en bonne santé, avec qui jouer et se bagarrer. Avec Tobi, c'était impossible.

Oka était en train de creuser une tanière dans une congère, faisant voler de la neige mêlée de terre et de feuilles.

Toklo était bien content que sa mère ne soit plus en colère. Il n'avait pas aimé la voir arracher l'herbe et l'entendre s'énerver comme ça.

— Il faut se coucher tôt, déclara-t-elle. Demain, une longue journée nous attend.

Tobi frissonna et se blottit contre elle. Toklo, lui, n'avait pas sommeil. Pas du tout du tout.

— Dis, maman, comment on attrape un saumon ?

— Certainement pas comme je t'ai vu faire tout à l'heure, ricana Oka. Si tu n'arrêtes pas de crier et de sauter, les poissons t'entendront de loin et se sauveront.

— Comment on fait, alors ?

— D'abord, tu dois entrer dans l'eau tout doucement, à l'endroit où tu as pied, en gardant le dos tourné au courant. Ensuite, tu dois attendre qu'un saumon passe entre tes pattes. Et si tu es assez rapide, paf ! – elle gifla Toklo pour illustrer ses paroles – tu pourras l'attraper.

— Facile ! fanfaronna l'ourson. Je suis le plus rapide de la vallée ! Je vais pêcher plein de saumons, tu vas voir !

— Ce n'est pas moi qu'il faut convaincre, mais les esprits des eaux, déclara Oka. Ils n'aiment pas les vantards, ni les oursons irrespectueux.

Tobi ouvrit de grands yeux stupéfaits.

— On va voir un esprit de l'eau ? Un vrai de vrai ?

Oka leur avait plusieurs fois raconté l'histoire des

esprits des ours morts qui nageaient parmi les saumons. Mais Toklo et Tobi n'avaient jamais vu de vraie rivière.

— Non, mon petit rayon de miel, répondit Oka avec tendresse.

Toklo détestait la voix onctueuse qu'elle prenait quand elle parlait à Tobi.

— Parfois, les esprits nous parlent, mais on ne les voit pas, expliqua-t-elle. En revanche, ils veillent sur nous sans cesse.

— Moi, je sais ! intervint Toklo. Il faut toujours leur dire merci ! Comme ça, ils viennent nous aider quand on a besoin d'eux !

— Exactement ! Quand ils se fâchent, ils font de grosses vagues, et on a du mal à attraper le saumon. Mais si on leur fait plaisir, on n'a qu'à tendre la patte... et le poisson vient s'y glisser tout seul.

— Comment tu le s...

— C'est l'heure de dormir, trancha Oka en reniflant la fourrure de Tobi.

Les paupières fermées, le petit ourson respirait par à-coups. Toklo avait compris le message : Tobi était fatigué, alors, chut !

Mais, ce soir, rien ne mettrait Toklo de mauvaise humeur. Parce que, demain, ils iraient de l'autre côté de la montagne.

Ils se levèrent à l'aube et marchèrent toute la journée. Lorsqu'ils approchèrent de la lisière de la forêt et que les arbres et la mousse se firent plus rares, Toklo découvrit au loin un pic couvert de glace qui étincelait au soleil.

Il jeta un coup d'œil derrière lui : Tobi avançait péniblement en traînant les pattes. De temps en temps, Oka s'arrêtait, dénichait de quoi manger, et le donnait à l'ourson malade. Toklo, qui avait grignoté quelques trèfles avant de partir, n'avait pas faim. Il trépignait d'impatience. Il s'élança au galop à travers les taillis et déboucha sur une vaste clairière inondée de soleil. Plus que quelques pas, et ils seraient dans la montagne !

Soudain Oka se dressa sur ses pattes arrière, flaira l'air et feula :

— Ne restons pas là !

Ils traversèrent la clairière en courant. Si maman ourse disait de se dépêcher, c'était qu'elle avait une bonne raison. Tobi ne trébucha que deux fois. Quand Toklo sentit la pierre dure sous ses coussinets, il accéléra encore. Plus qu'une grosse pierre à escalader... et la montagne apparut enfin à ses yeux.

Elle était gigantesque ! Elle s'élevait jusqu'au ciel, recouverte d'un manteau de neige très épais. Tobi s'y enfonça jusqu'au cou et se mit à battre des pattes en pleurnichant. Oka le sortit de là en un instant.

Toklo ne fit aucun commentaire : lui aussi avait du mal à avancer dans la neige. Il tenta de sauter de rocher en rocher, mais il glissa et se rattrapa de justesse.

Même si ce n'était pas facile d'escalader la paroi enneigée, Toklo trouvait ça beaucoup plus amusant que de chercher des pissenlits dans la vallée. Ici, loin des bêtes-feux puantes et des bêtes-serpents monstrueuses, l'air était pur. Le vent caressait la fourrure de Toklo, lui apportant une odeur de neige, d'ours et de gibier. Le soleil lui chauffait le dos. Il sentait les muscles se tendre sous sa peau et avait enfin l'impression d'être un vrai grizzli.

Il aperçut un bout de bois planté dans la neige. Avec un grognement de joie, il plongea dessus, l'attrapa avec ses dents et le secoua en grondant :

— Rrrrrrr ! Che t'ai eu, gros chaumon !

Oka se dirigea vers lui d'un pas tranquille et lui dit :

— À ta place, je ferais attention. Parce que ce poisson est très… glissant !

Sur ces mots, elle bondit, lui arracha le bâton de la gueule et s'éloigna au triple galop.

— Hé ! Rends-moi mon saumon ! s'exclama Toklo en se jetant sur elle.

La mère et le fils roulèrent dans la neige et se disputèrent le saumon imaginaire. Toklo rayonnait de bonheur : sa maman ne jouait presque jamais avec lui ! Il adorait sentir sa fourrure lui chatouiller la truffe, ses grosses pattes le repousser sans le moindre effort, ses coussinets lui gifler doucement la figure. Oka maîtrisait sa force pour ne pas lui faire mal. Avec elle, Toklo se sentait en sécurité.

Au bout d'un moment, il parvint à lui reprendre le bâton.

— J'ai gagné ! claironna-t-il.

— Ah, tu crois ? s'écria sa mère en s'élançant à sa poursuite.

Tout à coup, Tobi gémit :

— Je me sens pas bien, maman !

Oka s'immobilisa en soulevant une gerbe de poudreuse, qui retomba sur le dos de Toklo. Elle se précipita vers Tobi et se mit à le renifler. Recroquevillé sur un rocher, l'ourson tremblait de tous ses membres. Toklo secoua la tête pour faire tomber la neige et les rejoignit en bougonnant. Tobi le faisait exprès ! De toute manière, il ne se sentait *jamais* bien. Il ne pouvait pas les laisser jouer, pour une fois ?

— En route, Toklo, ordonna Oka. Il faut franchir le col avant la nuit.

Le ton de l'ourse avait changé : elle paraissait tendue, effrayée et en colère.

D'un petit coup de museau, elle obligea Tobi à se relever et lui fit de l'ombre avec son corps. L'ourson avançait au ralenti, trébuchant sur les cailloux et dérapant sur la glace. Toklo lui trouva un air bizarre. Sa fourrure dégageait une forte odeur de moisi, et ses yeux étaient comme remplis de brouillard. Toklo s'éloigna de lui en fronçant le museau.

Soudain, son frère s'écroula à plat ventre et se cacha la truffe dans les pattes.

— J'y arrive plus !

— Courage, murmura Oka de sa voix la plus douce, réservée à Tobi. Ce n'est plus très loin. Il faut juste mettre une patte devant l'autre. Ce n'est pas très difficile, si ?

— Siiiiiii ! pleura Tobi.

Toklo soupira : à ce rythme, ils seraient encore là demain matin ! « Puisqu'on fait une pause, autant s'amuser un peu ! » songea-t-il. Il courut chercher un bâton, le lança en l'air et s'écria :

— Oh, zut ! Le saumon m'a échappé !

Le bout de bois atterrit entre les pattes d'Oka.

— Ce n'est pas le moment, Toklo, fit cette dernière d'un ton sec. On a déjà perdu trop de temps avec tes jeux ! Il faut rejoindre la rivière avant la nuit.

Toklo sentit son poil se hérisser : pourquoi s'en prenait-elle à lui ?

— Allez, mon petit rayon de miel, chuchota Oka à l'oreille de Tobi. Grimpe sur mon dos.

— D... d'accord, gémit l'ourson.

Il s'allongea sur le dos de sa mère, écarta les pattes et ne bougea plus. « Voilà ! Maintenant, il ressemble à une feuille morte toute desséchée ! » se dit Toklo. Il renifla avec mépris. Sa maman ne lui aurait jamais proposé de le porter, lui. Mais, bien sûr, il ne s'appelait pas Tobi... Oka repartit d'un pas vif sans cesser de murmurer des paroles apaisantes et Toklo la suivit en trottinant, écœuré.

La montagne n'était plus aussi excitante, à présent. Le vent s'était chargé de froid et de neige ; le soleil disparaissait à vue d'œil derrière l'horizon. Les ombres s'allongeaient à l'infini, évoquant les griffes d'esprits des eaux maléfiques. Toklo avait les pattes gelées et les muscles des épaules en feu. Ses griffes lui faisaient mal à force de racler contre la pierre. Oka, elle, paraissait infatigable. Elle sautait par-dessus les plaques de glace et les rocs acérés, que Toklo devait contourner parce qu'il était trop petit.

Le ciel avait presque avalé le soleil quand il s'arrêta, épuisé.

— Maman !

Oka tourna la tête, mais elle continua de grimper.

— Maman ! On peut s'arrêter ?

— Non !

La voix de l'ourse se répercuta en écho jusqu'au bas de la pente.

Toklo eut peur, tout à coup. Ils n'allaient quand même pas marcher toute la nuit ! Il avait le vertige. Et s'il trébuchait sur un rocher ? S'il dégringolait dans le vide ? « De toute manière, il n'y en a que pour Tobi ! Si je tombais, maman ne s'en apercevrait même pas ! » pensa-t-il avec amertume.

L'ourson prit une grande inspiration et recommença de grimper. Dans un dernier sursaut d'énergie, il doubla sa mère et se campa devant elle.

— Je t'ai dit que ce n'était pas le moment de jouer, gronda-t-elle.

— J'veux pas jouer ! protesta Toklo. J'veux *dormir* !

— On est presque arrivés, déclara Oka. Tu dormiras quand on aura atteint la rivière.

— J'suis trop fatigué !

— Ton frère tient le coup, lui. Alors, avance, et tais-toi.

Toklo n'en croyait pas ses oreilles.

— Quoi ? Tobi *ne tient pas le coup*, tu l'as porté tout le temps ! En plus, je saigne ! Regarde !

Il fourra ses pattes sous le museau de sa mère. Elles étaient couvertes d'égratignures, et il avait un coussinet en sang.

Oka renifla les pattes de Toklo, regarda le ciel où scintillaient quelques étoiles et donna un petit coup de museau à Tobi.

— J'ai froid, gémit ce dernier.

— Bon, très bien, céda Oka. Je vais creuser la tanière.

Soulagé, Toklo regarda autour de lui.

— Pourquoi on ne dormirait pas là-bas ? proposa-t-il en désignant une petite grotte sous une saillie rocheuse.

— Bonne idée.

Une fois arrivés, Tobi glissa à terre, se pelotonna sur la mousse qui poussait sous le rocher et ferma les yeux. Oka s'accroupit près de lui et entreprit de lui lécher les oreilles.

Toklo s'assit, exténué. Il avait l'impression que ses pattes s'étaient changées en pierre. Il leva les yeux vers le ciel et se mit à contempler l'étoile-qui-brille-toujours-plus-que-les-autres.

— J'aimerais bien être comme cette étoile, murmura-t-il à sa mère. Je parie qu'elle n'est jamais fatiguée.

— C'est l'esprit d'un méchant ours emprisonné pour avoir très mal agi, annonça Oka. Les autres animaux tournent sans cesse autour de lui pour lui rappeler qu'il n'est plus libre.

Toklo non plus ne se sentait pas vraiment libre. Il observa son frère, qui respirait vite et mal, puis il demanda :

— Qu'est-ce qu'il a fait, le méchant ours ?

— Il a désobéi à sa mère, répondit Oka en lui donnant une petite claque à l'arrière du crâne. Va chercher du bois !

Et elle commença de creuser la terre mêlée de neige. Toklo trouva quelques branches et plusieurs baies, qu'il se retint de manger. Les baies, c'était pour Tobi, même si son ventre à lui faisait beaucoup de bruit. Toklo plaça les branches devant la tanière et déposa les baies devant Oka. Elle les fit rouler en direction de l'ourson malade sans lui dire merci. Quand Tobi eut tout avalé, Toklo se blottit contre le flanc de sa mère et posa le menton sur son épaule. Elle poussa un soupir et s'endormit comme une masse.

Quand Toklo se réveilla, une lueur gris pâle filtrait à travers les branchages. Il cligna des paupières. Il sut immédiatement que quelque chose clochait. Il se sentait gelé, et ce n'était pas à cause du sol.

Tobi était allongé sur le dos, les pattes repliées contre le poitrail. Il respirait très vite et sentait encore plus bizarre que la veille.

Toklo alla flairer la fourrure de son frère. Elle était glacée. Tout à coup, l'ourson prit peur : les yeux de Tobi étaient à nouveau pleins de brouillard.

Toklo lui frôla le museau et chuchota :

— Hé ! Tobi !

Pas de réaction. L'ourson toucha son frère du bout de la patte. Le souffle de Tobi s'accéléra… s'accéléra… et ralentit d'un coup.

— Hé ! Tobi ! répéta Toklo. Tu t'en vas ? Est-ce que tu vas devenir un esprit des eaux ?

Pas de réponse. Toklo contempla son petit frère avec une fascination mêlée de crainte. Comment devenait-on un esprit des eaux ?

Soudain, Tobi prit une longue inspiration, eut un long, très long frisson… et ferma les yeux. Toklo retira la patte comme s'il s'était brûlé.

Tobi était mort.

Toklo ne savait pas quoi faire. Il n'avait pas vu partir l'esprit de son frère. Et s'il était resté coincé sous sa fourrure ? Il le toucha encore du bout de la patte, mais rien ne se passa.

Oka se leva, secoua la tête et regarda autour d'elle, l'air perdu. Quand ses yeux se posèrent sur Tobi, elle cria :

— NON !

Elle se précipita auprès du petit ourson et lâcha une longue plainte sourde. Puis elle se dressa sur ses pattes arrière et poussa un rugissement de rage et de douleur, qui résonna longtemps dans la montagne. Toklo se recroquevilla, effrayé : les rochers allaient s'écrouler, à coup sûr !

— Pourquoi tu l'as laissé mourir ? cracha Oka, les babines retroussées.

— C'est... c'est pas moi ! pleura Toklo. J'ai rien pu faire, j'te jure !

— Si, tu aurais pu me *réveiller* ! tonitrua sa mère.

Elle se tourna vers le ciel, les arbres et les rochers.

— Comment m'avez-vous fait ça ? Pourquoi m'enlevez-vous tous mes oursons ?

Elle s'allongea dans la neige, enfonça le museau dans la fourrure de Tobi et le secoua, désespérée.

— Je ne lui ai même pas dit au revoir, sanglotait-elle. Mon pauvre petit ourson, si gentil, si faible, si seul...

L'ourse continua de parler à voix basse et à dire des choses que Toklo ne comprenait pas. Il recula, s'assit à l'entrée de la tanière et attendit. Sa maman allait bien finir par s'arrêter de pleurer, et ils allaient se remettre en route. Ce n'était quand même pas parce que Tobi était mort qu'ils n'iraient plus à la rivière !

Toklo se sentait tout malheureux. Il ne comprenait pas pourquoi sa mère était furieuse contre lui, qui avait la force de vivre. Les esprits des eaux ne lui avaient pas enlevé *tous* ses oursons – il était là, lui ! Il allait s'occuper d'Oka, attraper du poisson, ramasser des branches... Tobi devait avoir rejoint la rivière, maintenant. Il était sûrement mieux là-bas. Ici, il avait tout le temps froid et faim. Et il était triste et fatigué. Alors, de quoi maman se plaignait-elle ?

Un rayon de soleil illumina le flanc de la montagne, allumant des étoiles colorées dans la neige. Au loin, le pic se teinta d'or et de blanc.

Prostrée contre son ourson mort, Oka ne bougeait plus. Toklo remua sur son arrière-train : qu'est-ce qu'elle attendait pour repartir ?

À l'heure de haut-soleil, il s'avança timidement vers sa mère.

— Maman ?

Silence.

— Maman ? Tu ne veux plus aller à la rivière ?

Oka leva lentement la tête, regarda Toklo, posa le menton sur ses pattes et murmura :

— Tobi n'atteindra jamais le chemin de la rivière. Il n'aurait pas dû mourir ici !

Comme Oka ne disait plus rien, Toklo l'interrogea :

— Mais nous, on va toujours à la rivière, non ?

— Il est mort à cause de nous, gronda Oka d'une voix rauque. On est arrivés trop tard. Les esprits ne le trouveront jamais.

CHAPITRE 7

Kallik

La tempête s'arrêta à la tombée de la nuit. À présent, Kallik était seule dans un monde de silence, coincée entre les ténèbres parsemées d'étoiles et une couche de glace très mince, que l'eau menaçait de briser à chaque instant.

Nisa était morte. Comment était-ce possible ?

Allongée sur la glace, Kallik contemplait le vide. À quoi bon se remettre à marcher ? Elle n'avait nulle part où aller, personne à qui parler.

Elle aperçut les contours de Silaluk, près de l'Étoile-Guide. Étaient-ce des orques qui l'encerclaient pour la dévorer ? Kallik sentit son cœur se serrer. L'esprit de sa mère avait-il rejoint les ombres mouvantes ?

Longtemps, très longtemps, l'oursonne resta là, sans bouger, à écouter son cœur battre au ralenti, et à sentir le froid lui mordre la peau. Le vent amassait

de la neige sur son dos. Bientôt, Kallik serait entiè-
rement recouverte, et elle disparaîtrait à tout jamais.

« Comme maman », songea-t-elle.

Elle entendait le gémissement du vent, le clapotis
de l'eau, les craquements de la glace. Crrrr... Trâââ...
Criii... Les esprits aussi pleuraient la mort de Nisa.
Taaaa... geignaient-ils. Taaaqqiiiiq...

Kallik dressa l'oreille.

Taaa... qqiiiiq...

L'oursonne leva la tête. Cette voix... « On dirait celle
de maman ! » Elle vit les ombres tourbillonner sous la
glace. Lentement, une forme se dessina. L'espace d'un
battement de cœur, elle crut voir le visage de Nisa, qui
la regardait avec intensité.

Taqqiq. Peut-être qu'il vivait encore ! Il croyait
sûrement que Kallik et Nisa étaient mortes toutes les
deux... Kallik devait le retrouver ! Il avait besoin
d'elle, et elle avait besoin de lui.

Elle se releva et se secoua pour faire tomber la neige
de sa fourrure. Elle avait mal partout, mais elle pouvait à nouveau marcher. Elle scruta l'océan : et si les
orques rôdaient encore dans les parages ?

Kallik décida qu'elle partirait à l'aube. Elle s'endormit et rêva de dents acérées, d'ailerons puissants, de
fourrure rose et d'eau teintée de sang.

Lorsque les premiers rayons du soleil apparurent,
Kallik eut l'impression que la glace prenait vie. Partout, il y avait de petites perles scintillantes ; l'eau,
d'un noir bleuté, miroitait à la lueur de l'aube. La
banquise fondait à vue d'œil, mais l'îlot de Taqqiq

était toujours là. Si Kallik voulait rejoindre son frère, elle allait devoir retraverser à la nage.

Elle scruta la mer à la recherche des ailerons, puis tenta de repérer l'odeur d'une orque, sans déceler rien de suspect. Mais peut-être que les prédateurs étaient bien cachés.

— Esprits des glaces, aidez-moi ! murmura-t-elle.

L'océan vint lui lécher les pattes. *Taaaqqiiiiq...* entendit-elle dans le chant des vagues. « C'est maman, pensa-t-elle. Elle me demande d'aller retrouver mon frère.» Alors, elle ferma les yeux, banda ses muscles et sauta dans la mer.

Elle cracha, toussa et se mit à nager comme si elle avait toutes les orques de l'océan aux trousses. Quand elle atteignit l'îlot d'en face, Kallik paniqua : et si elle n'arrivait pas à sortir de l'eau toute seule ? Taqqiq et Oka n'étaient plus là pour l'aider.

Poussée par la peur, elle battit des pattes avec énergie. Avec sa fourrure blanche qui brillait comme la lune dans la nuit noire, les orques avaient dû la repérer. Kallik les imagina glissant sous les eaux sombres pour fondre sur elle. Elle était une proie facile. Elles n'auraient qu'à la happer par en dessous et lui croquer les pattes.

Dans un sursaut désespéré, elle planta les griffes dans la glace et tira, tira de toutes ses forces. Enfin, elle sentit son arrière-train se soulever. Elle s'échoua sur le banc de glace, pantelante.

Cet effort l'avait épuisée. Mais il fallait retrouver Taqqiq – et vite ! Elle se releva et s'élança dans la neige.

Kallik s'inquiétait pour son frère. Il avait toujours passé son temps à jouer et à rêvasser. Qu'avait-il retenu des leçons de leur mère ? En savait-il assez pour survivre ? Nisa les avait laissés beaucoup trop tôt, mais ensemble, ils avaient une chance de s'en sortir. Kallik accéléra le pas.

Elle atteignit le bord de l'île peu après le lever du soleil. Aucune trace de Taqqiq. Il avait dû traverser à la nage.

Kallik hésitait à se jeter de nouveau à l'eau. Ici, le courant était encore plus fort. Elle s'y décida quand même, et la peur et la détermination la portèrent jusqu'à une autre plaque de glace. Elle avait les pattes en feu, la fourrure lourde et le souffle court ; pourtant elle repartit aussitôt.

La journée fut longue et terrifiante. La glace, trop fragile, céda sous le poids de Kallik à plusieurs reprises, la précipitant dans les eaux gelées, où elle se cognait la tête contre des morceaux de banquise.

Elle avança d'îlot en îlot, dérivant sur l'océan tel un naufragé sur le dos d'un ours géant. Quand une petite plaque de glace s'effritait, l'oursonne devait sauter sur celle d'à côté ou la rejoindre à la nage. Elle ne cessait de scruter la mer pour essayer de repérer les orques. Elle entendait encore les cris de sa mère résonner à ses oreilles. Ils la glaçaient jusqu'à la moelle.

Le jour avançait. Il fallait se dépêcher : si la glace fondait complètement, l'oursonne n'aurait pas la force de nager jusqu'à la terre ferme. Par chance, grâce aux parfums que transportait le vent, elle savait qu'elle se dirigeait dans la bonne direction. C'étaient des senteurs étranges, très différentes de son monde de neige, de glace et de mer obscure.

« Pourvu que Taqqiq ait eu la même idée ! se disait-elle. Peut-être qu'il a déjà trouvé la terre ferme ! »

Elle marcha et nagea sans relâche, bien après le crépuscule, jusqu'à épuisement. Elle s'arrêta sur un morceau de glace qu'elle jugea suffisamment solide, et elle s'endormit.

Au matin, le soleil réapparut, brûlant, cruel, effrayant. Kallik le détestait ! À cause de lui, la glace fondait beaucoup trop vite.

Et puis, il y avait la faim, qui lui donnait le vertige. Plus d'une fois, Kallik perdit l'équilibre et glissa dans l'eau. Malgré ses pattes larges adaptées à la marche sur la glace, elle titubait et dérapait sans cesse. Elle ne sentait plus ses coussinets. Elle avait l'impression d'avancer sur un sol de brume qui se dérobait sous chacun de ses pas. Les plaques de glace étaient de plus en plus rares, les bras de mer, de plus en plus étendus, les vagues, de plus en plus fortes. Il lui fallait nager presque tout le temps.

Soudain, Kallik aperçut de gros oiseaux blancs qui survolaient la banquise morcelée et qui poussaient des piaillements assourdissants. Il n'y avait pas d'oiseaux sur la banquise. Donc, la terre n'était plus très loin.

Sur l'un des îlots, elle repéra un ours blanc. Malgré la fatigue et la faim qui la faisaient chanceler, elle s'élança au galop en s'écriant :

— Taqqiq !

L'ours se retourna d'un bloc, les babines retroussées, le museau couvert de sang. Il était occupé à dévorer un phoque. Ce n'était pas Taqqiq : il était bien trop gros. Et furieux qu'on ait interrompu son repas.

Kallik s'arrêta dans une glissade, fit demi-tour et repartit en courant. Quand elle eut atteint le bord de l'île, elle regarda en arrière. Ouf ! l'ours ne l'avait pas pourchassée ! Son estomac protesta bruyamment. L'odeur du phoque avait réveillé sa faim. L'oursonne nagea jusqu'à une plaque voisine et entreprit de l'explorer en flairant l'air. Elle finit par trouver un trou qui sentait le phoque. Kallik se souvenait exactement des gestes de sa mère : renifler les bords du trou, s'allonger sur la glace et attendre patiemment, prête à bondir au moindre mouvement.

Elle se coucha sur le ventre, posa la tête sur ses pattes et se mit à fixer l'eau qui ondulait dans le trou. La faim et l'excitation la maintinrent éveillée une bonne partie de la nuit. Le temps s'écoulait lentement.

Tout à coup, une tête lisse aux moustaches frémissantes émergea du trou. Kallik lui sauta dessus toutes griffes dehors et la gueule grande ouverte, mais ses pattes rencontrèrent le vide. Elle avait été trop lente ! Le phoque lui avait échappé.

La petite ourse se rallongea et appuya la tête contre le sol. Cela ne servait à rien de lutter ! Elle allait laisser les Esprits des glaces l'emporter et la conduire auprès de Nisa.

Et puis Kallik repensa à Taqqiq. Elle n'avait pas le droit de l'abandonner ! Ensemble, ils parviendraient à passer Brûleciel. À deux, on est plus forts.

Elle se releva, retraversa le bras de mer et avança à pas prudents sur l'îlot de glace, la truffe en l'air, au cas où l'autre ours blanc serait encore là. Le silence de la nuit amplifiait le crissement de ses pas sur la glace comme si des fantômes marchaient derrière elle.

La carcasse du phoque gisait sur la glace, forme sombre sur le sol blanc. L'ours n'avait pas laissé grand-chose. Kallik engloutit les restes et repartit sitôt la dernière bouchée avalée.

Elle traversa l'île de glace d'un pas vif en se laissant guider par son flair. À la moindre odeur suspecte, elle faisait un détour. Elle n'avait pas envie de croiser d'autres ours. Elle ne s'arrêta pour dormir que lorsque la lune fut très haute dans le ciel.

Quand elle ouvrit les yeux le matin suivant, elle vit que la ligne d'horizon n'était pas comme d'habitude. On aurait dit qu'un coup de griffes avait déchiré la neige en laissant une trace gris sale. Au début, Kallik crut à des nuages d'orage. Mais comme ils ne bougeaient pas, elle comprit que c'était...

La terre !

Elle huma l'air doux et humide : les parfums étranges étaient plus présents que jamais. Une mince pellicule d'eau recouvrait toute la glace, qui se confondait avec l'océan. L'oursonne se leva et se dirigea vers la ligne grise tout en essayant de mémoriser ces nouvelles odeurs animales : fourrure musquée, plumes légères, relents de faim, de peur et de danger...

Elle traversa trois bras de mer, se dirigeant vers les pentes abruptes aux contours déchiquetés. La terre ressemblait à des glaciers gris sombre. Des centaines d'oiseaux la survolaient. Ils battaient des ailes en piaillant, plongeaient pour pêcher un poisson ou se posaient sur un rocher pour se lisser les plumes.

Kallik frissonna : elle n'arriverait jamais à en attraper un ! Alors qu'allait-elle manger ? Sa mère lui avait parlé d'« herbe » et de « baies », mais Kallik ne voyait pas de poils verts qui sortaient du sol. Juste des rochers gris, durs et froids.

Et puis, soudain, il n'y eut plus de glace du tout. Plus qu'un bras de mer à traverser, et Kallik serait enfin sur la terre ferme. Elle avait atteint son but. Seule, et sans aide.

La petite ourse sauta à l'eau et nagea aussi vite qu'elle put. Ici, les vagues étaient très puissantes. Elles la poussaient en avant, la tiraient en arrière, la secouaient dans tous les sens. Kallik ne contrôlait plus rien. Elle était à leur merci.

— Esprits des ours blancs ! haleta-t-elle, malmenée par de gros morceaux de glace flottant sur les eaux noires. J'espère que vous n'avez pas encore fondu. S'il vous plaît, aidez-moi avant d'aller au ciel !

Le rivage se rapprochait. Elle y était presque ! Tout à coup, une vague la projeta contre un rocher. Kallik hurla de douleur. Elle tenta de s'y agripper, mais le courant la ramena vers le large. Elle avala une grande gorgée d'eau salée et redoubla d'efforts. Ses griffes éraflèrent la pierre, une fois, deux fois. Enfin, elle parvint à l'enlacer avec ses pattes.

Hors de question de mourir maintenant. Courage ! Taqqiq l'attendait quelque part ici.

Elle rassembla ses dernières forces et se mit à escalader la paroi rocheuse. Ce fut long, pénible, épuisant. Mais elle finit par se hisser sur le sommet. Elle sauta de roc en roc, jusqu'à une étendue brune et granuleuse, et elle s'arrêta, à bout de souffle. Ses pattes s'enfonçaient dans le sol. « C'est sûrement ce sable dont maman m'a parlé », se dit-elle.

Elle inspira profondément.

La terre ferme. Enfin !

CHAPITRE 8

LUSA

Il avait neigé toute la nuit. Floc ! Floc ! faisaient les pattes de Lusa en s'enfonçant dans le sol détrempé. Yogi s'était lancé à sa poursuite, et les oursons se roulèrent dans la boue. Quand on les appela pour le repas du soir, ils accoururent en laissant de longues traînées noires derrière eux.

Lusa s'ébroua et alla rejoindre sa mère, allongée sous le grand arbre. Ashia ne mangeait pas très bien ces derniers temps. Elle avait beaucoup maigri. Sa fourrure n'était plus aussi lustrée ; elle perdait même de grosses touffes de poils.

— Ça va, maman ? chuchota Lusa.

— Où est passée cette jolie mare ? demanda Ashia en clignant des yeux. Et ce petit ourson ?... Quel était son nom, déjà ?... Ben, je crois...

Lusa eut très peur, tout à coup.

— Quelle mare, maman ? Et y a jamais eu de Ben, ici ! Qu'est-ce que tu as ?

— Elle repense à son zoo d'avant, intervint Stella.

— Pourquoi ? Elle ne se plaît plus, ici ?

Ashia posa les pattes sur son museau, leva les yeux vers Lusa et lâcha :

— Qui es-tu ? Tu me ressembles, mais... où sont les autres ?

— Je suis ta fille, gémit Lusa. Tu ne te rappelles pas ?

— Ta mère est fatiguée, déclara Stella. Elle doit se reposer.

Lusa aurait préféré qu'Ashia dorme au chaud. Elle lui tapota le flanc et murmura :

— Viens dans la tanière, tu seras mieux.

Ashia grommela une réponse incompréhensible et se détourna.

— Laisse-la tranquille, Lusa, chuchota Stella. Je crois qu'elle préfère dormir dehors.

— Elle est malade ? s'inquiéta la petite ourse.

— Non, la rassura son aînée. Sinon, les Museaux-plats l'auraient emmenée pour la soigner.

L'oursonne souffla, soulagée : tout n'était peut-être pas perdu ! Seulement, Stella ajouta :

— Mais, parfois, quand un ours est très malade, il part avec les soigneurs et ne revient pas...

— Tu connais des ours qui ne sont jamais revenus ?

— J'en ai connu un qui était à l'agonie. Son esprit était presque parti dans les arbres.

Une voix grave s'éleva derrière les deux ourses :

— Arrête de dire des bêtises !

Lusa se fit toute petite. King foudroya Stella du regard.

— Pas la peine d'en faire toute une histoire, gronda-t-il.

— Tu crois que les Museaux-plats vont guérir maman ? voulut savoir Lusa.

King haussa les épaules. Sa fourrure ondula sur son dos.

— On ne sait jamais ce que vont faire les Museaux-plats. On ne sait même pas pourquoi ils nous ont enfermés ici, alors... Ça ne sert à rien de se poser toutes ces questions. On verra bien !

Il se gratta l'oreille et s'éloigna d'un pas tranquille.

Stella poussa doucement Lusa du bout du museau.

— Il a raison, lui dit-elle. Ta mère est forte. Elle a peut-être juste envie de dormir dehors, comme ton père.

Lusa lança un regard vers la Montagne. King passait peut-être ses nuits dehors, mais pas par terre, dans la neige boueuse. Elle le regarda s'installer sur une grosse pierre plate. Il laissa pendre ses pattes de chaque côté du rocher et se mit à ronfler.

Stella leva les yeux vers le ciel et murmura :

— Esprits des ours, faites qu'Ashia se réveille en pleine forme...

Elle se tourna vers Lusa :

— Allez, viens te coucher.

Lusa dormit d'un sommeil agité. La tanière lui semblait si vide, sans sa mère ! Elle n'avait personne contre qui se blottir. Elle se leva dès que la lumière du soleil éclaira le Creux des ours et courut dehors.

Ashia n'avait pas bougé depuis la veille. Lusa ne savait pas quoi faire. C'était la première fois qu'un ours du Creux tombait malade. Pourquoi cela arrivait-il à sa maman ? Elle avait toujours été là, comme les rochers de la Montagne, forte et calme. Solide. Elle n'avait pas le droit de changer ! Lusa avait la sensation que la terre s'écroulait.

Sa mère devait avoir faim ! Vite, l'oursonne alla ramasser les baies bien mûres que les Museaux-plats avaient apportées et les déposa près du museau d'Ashia.

— Oh, Lusa…, souffla l'ourse en posant les pattes sur son ventre.

La petite ourse poussa un soupir de soulagement : sa maman la reconnaissait maintenant ! Cela signifiait qu'elle allait mieux.

— Je t'ai apporté à manger, dit-elle en faisant rouler les baies avec sa truffe.

Ashia lâcha un grognement sourd, se retourna et plaqua son visage contre le sol. Une croûte de boue neigeuse recouvrait sa fourrure. « En temps normal, elle l'aurait enlevée ! Et elle ne renifle même pas les fruits ! » pensa Lusa, affolée. Sa mère n'allait pas mieux – au contraire.

La petite ourse aperçut des Museaux-plats appuyés contre le mur. Elle s'approcha d'eux et se dressa sur ses pattes arrière pour attirer leur attention. L'un d'eux ricana et lui jeta un bout de fruit. Quel idiot ! Il était aveugle, ou quoi ? Il ne voyait pas que maman était malade ? Agacée, Lusa se rassit. Les Museaux-plats ne comprenaient jamais rien ! Elle se débarrassa du morceau de fruit d'un coup de patte rageur et retourna auprès de sa mère, qu'elle renifla. Ashia sentait bizarre. Les soigneurs devaient faire quelque chose !

Lusa courut de nouveau voir les Museaux-plats. Elle se mit debout et claqua des dents pour leur montrer qu'elle avait peur, revint voir sa mère et recommença. Cinq, six, sept fois. Peut-être qu'à force les Museaux-plats allaient se décider à agir !

Au bout d'un moment, l'un d'eux pointa le doigt vers Lusa, puis vers Ashia. Enfin, quatre soigneurs se dirigèrent à pas prudents vers Ashia en lui parlant doucement.

Puis un grand Museau-plat arriva à son tour. Celui-là, Lusa ne l'avait jamais vu. Il avait le visage couvert de poils gris tout emmêlés, deux petites choses rondes et brillantes sur le nez et une fourrure verte. Lusa savait que les Museaux-plats pouvaient enlever leur fourrure quand ils avaient trop chaud : elle les avait déjà vus faire. Celui-ci avait un long bâton noir coincé sous le bras. Lusa plissa la truffe. Ce bâton sentait encore plus mauvais que la Barrière. Il empestait la fumée froide.

Ensuite, les choses allèrent très vite. Les soigneurs plantèrent des poteaux et déroulèrent une drôle de toile d'araignée autour d'Ashia. Ils l'emprisonnaient dans un enclos ! Lusa essaya de déchirer cette toile d'araignée à coups de griffes, mais un Museau-plat la chassa d'un geste brusque. La petite ourse recula en jetant des regards effrayés autour d'elle. Pourquoi la séparait-on de sa mère ? Qu'allait-on faire d'elle ? En quelques bonds rapides, elle alla se percher sur la plus haute branche de l'Arbre de l'ours. Horrifiée, elle vit le Museau-plat à la fourrure verte s'avancer dans l'enclos et pointer le bâton métallique vers Ashia.

Il y eut un bruit sec, un peu comme une branche qui casse net. Une aiguille jaillit du bâton et se planta dans le flanc d'Ashia. L'ourse poussa un grognement, puis ses yeux se fermèrent lentement.

— Maman ! hurla Lusa.

Ashia ne répondit pas.

— Mamaaan !

Le cœur battant à tout rompre, Lusa se laissa glisser le long du tronc. À cet instant, un monstre gigantesque fit irruption dans le Creux en rugissant et en crachant une fumée noire. Effrayée, Lusa remonta dans l'arbre. Les autres ours s'égaillèrent dans l'enclos.

« Une bête-feu… », songea la petite ourse. King lui en avait déjà parlé. Lusa en avait aperçu quelques-unes courir sur le sentier gris, mais elle n'en avait jamais vu d'aussi près. Son odeur de métal brûlé lui piqua la gorge.

Les Museaux-plats encerclèrent Ashia et la firent rouler sur une immense fourrure de la couleur du ciel, qui brillait comme une mare au soleil. Ensuite, ils saisirent les quatre coins de la fourrure, soulevèrent l'ourse inanimée et la posèrent sur une planche munie de pattes rondes, qu'ils accrochèrent à la bête-feu.

Le monstre poussa un rugissement féroce et s'en alla par la grande porte qui s'ouvrait dans le mur du fond. Lusa descendit de l'arbre et se précipita vers la porte.

— Mamaaan ! Reviens !

Blam ! La porte se referma en claquant, juste devant la truffe de Lusa. L'oursonne se mit debout et griffa le métal avec énergie.

Trop tard ! Sa mère était partie, avec la bête-feu et la planche aux pattes rondes.

CHAPITRE 9

Toklo

C omme Oka refusait de quitter le corps de Tobi,
Toklo avait décidé de chercher à manger. Il creusait des trous dans la neige. Le soleil descendait lentement derrière les arbres, un vent glacé s'était levé.
L'ourson frissonna.

Toute la journée, l'ourse était restée allongée à côté
de Tobi, sans bouger, sans parler. Sans se soucier du
ventre de Toklo, qui grondait comme un ours en
colère. Toklo voulait du saumon ! La rivière n'était
plus très loin, quelques heures de marche, tout au plus.

Oui, mais si Oka restait là pour toujours ? Si elle
avait envie que Toklo meure de faim et rejoigne
l'esprit de Tobi dans la rivière ? Toklo était en pleine
forme ; maintenant que Tobi n'était plus là, sa mère
et lui pourraient voyager plus vite et s'entraider.

Ses griffes s'enfoncèrent dans quelque chose de mou.
Il balaya la neige et déterra un morceau de mousse.

La mousse, ce n'était pas très bon. C'était spongieux et ça s'effritait, mais il fallait bien manger quelque chose. Il en avala un bout, puis il porta le reste à sa mère.

— C'est pour toi, maman, murmura-t-il.

Les yeux fermés, Oka câlinait le petit cadavre recroquevillé entre ses pattes. Toklo s'allongea, s'approcha en rampant, très lentement, et lui toucha le dos. Aucune réaction. Alors, il posa le museau sur ses pattes et sombra dans un sommeil agité.

En sentant Oka remuer, il se réveilla en sursaut et se leva précipitamment. Il faisait à peine jour. Le ciel était rayé de nuages gris.

Oka baissa la tête, renifla Tobi et grogna :

— On s'en va.

« Je ne vais pas mourir, en fin de compte ! » se dit Toklo, soulagé.

— On va à la rivière ? demanda-t-il.

L'ourse fit comme si elle ne l'avait pas entendu.

— Je dois accomplir le rituel de la terre.

Elle se tourna, aperçut le morceau de mousse que Toklo lui avait apporté, le prit doucement entre ses dents et le posa sur le dos de Tobi. Ensuite, elle sortit de la tanière d'un pas lourd. Toklo la suivit sans rien dire ; il avait peur de se faire gronder.

Oka se mit à fouiller la neige. Elle rassembla des brindilles, des feuilles mortes et des mottes de terre, qu'elle alla poser sur le cadavre de Tobi.

Toklo ne comprenait pas ce que faisait sa mère, mais il décida de l'aider. Plus vite ils auraient terminé, plus vite ils partiraient d'ici. Il alla chercher de la terre et des branchages, qu'il traîna dans la tanière.

Oka releva la tête, et sa voix grave ricocha contre les murs de la petite grotte :

— Esprits de la terre, je vous confie cet ourson innocent. Protégez-le. Réchauffez-le. Guidez ses pas sur la terre et les rochers : et emmenez-le rejoindre les esprits des ours dans la rivière éternelle.

Toklo regarda sa mère, intrigué. Devait-il dire quelque chose, lui aussi ? Avec ses griffes, Oka traça un signe sur le sol, juste à côté du corps de Tobi. Puis, sans ajouter un mot, elle se retourna et prit le chemin de la montagne.

Toklo hésita : avait-il le droit d'abandonner son frère comme ça, sans rien lui dire ? Il posa le museau sur le tas de terre, de feuilles et de branches, et murmura :

— Suis-moi, Tobi. Je vais te conduire à la rivière.

Il recula, se secoua pour faire tomber les feuilles accrochées à sa fourrure et se dépêcha de rejoindre sa mère. Ils avancèrent en silence, Oka marchant d'un pas vif, Toklo trottinant pour ne pas se laisser distancer. L'ourson n'osait pas parler. Les épaules nouées et le regard lointain de sa mère lui faisaient peur.

À l'approche de haut-soleil, Toklo entendit un bruit ténu. Un bruit joyeux, plein de bulles et de vie, qui évoquait la pluie ruisselant dans la vallée.

— On est arrivés, maman ? s'écria-t-il. Oh, je suis trop content ! Tu vas voir tous les saumons que je vais attraper !

Il n'y avait plus de neige à cet endroit, juste une forêt de gros pins et des clairières couvertes de fleurs sauvages. Et soudain, Toklo vit la rivière : un cours d'eau immense et tumultueux, pas très profond. Le soleil faisait scintiller l'eau de mille feux. Fou de joie, l'ourson dévala la colline, dérapa sur le tapis d'aiguilles de pin… et s'arrêta net.

Des ours ! Des ours par dizaines, qui pataugeaient dans l'eau en observant sa surface. Des ours qui marchaient le long des rives ou qui couraient dans la rivière, le poil tout trempé et tout hérissé.

Toklo n'avait jamais vu autant d'ours à la fois. Ils étaient si gros ! Beaucoup, beaucoup plus gros que sa mère. Il attendit Oka à la lisière de la pinède. Puis la mère et son fils sortirent de l'ombre fraîche de la forêt et se dirigèrent vers les berges caillouteuses.

Dès qu'il posa une patte sur la rive, Toklo se sentit mal à l'aise. Les ours braquaient sur lui un regard affamé. Dressé sur ses pattes arrière, un mâle les fixait sans gentillesse. Il avait de longues griffes aiguisées, un énorme dos bossu, une fourrure sombre, un museau dégoulinant et de tout petits yeux marron. Rien qu'à son regard, Toklo sut qu'ils n'étaient pas les bienvenu.

Le grizzli vint se planter devant sa mère, lui bloquant l'accès à la rivière. Oka s'immobilisa. Toklo se blottit derrière elle, en prenant soin d'éviter le regard du mâle.

— Écarte-toi, ordonna Oka à ce dernier d'une voix ferme.

— Comment tu t'appelles, ma jolie ? demanda le mâle.

— Ça ne te regarde pas.

— Moi, c'est Shoteka.

— Je m'en fiche, trancha Oka d'un ton cassant. Hors de mon chemin ! La rivière est à tout le monde ; ce n'est pas ton territoire, et il y a assez de poisson pour chacun de nous.

Shoteka baissa les yeux vers Toklo et répliqua :

— Ce n'est pas le poisson qui m'intéresse. Débarrasse-toi de ton ourson. Il est trop vieux pour rester avec toi.

— Même pas vrai, d'abord ! s'indigna Toklo.

Beaucoup d'oursons suivaient leur mère pendant au moins deux Sautepoissons. Toklo aurait bien aimé partir de son côté, mais il savait qu'il n'était pas encore prêt.

Le grizzli leva la tête et lança à Oka sur un ton de défi :

— Quand va-t-il se trouver un territoire ?

— On est venus pour pêcher du poisson, pas pour faire la causette, rétorqua l'ourse brune. Alors, pour la dernière fois : hors de mon chemin !

— Il n'y a pas de poisson ici, grommela Shoteka.

— Et tu t'imagines que je vais te croire ? grinça Oka.

Elle avança le menton levé, Toklo sur ses talons. Le mâle retomba sur ses pattes et racla les galets avec ses griffes. Au moment où l'ourson passa devant lui, Shoteka se jeta sur lui, les crocs dénudés. Toklo sentit son haleine chaude et fétide, écœurante. Il se figea.

Vive comme l'éclair, Oka se retourna, poussa un rugissement féroce et gifla Shoteka. Le grizzli recula, tituba, fit demi-tour et s'enfuit lourdement en soulevant des gerbes d'eau. Blotti sous les pattes arrière d'Oka, Toklo entendit les autres ours ricaner.

— Voilà ce qui arrive quand on s'en prend au petit d'une femelle courageuse ! commenta l'un d'eux.

L'ourson regarda Oka, fier et soulagé. Sa maman était invincible ! Rien ne les séparerait, elle et lui. Elle allait s'occuper de lui, maintenant, même si elle l'aimait moins que Tobi.

Oka longea la rivière à contre-courant, s'éloignant de Shoteka. Toklo plongea la patte dans l'eau et la retira aussitôt : c'était glacial ! Et le courant beaucoup plus puissant que les petits ruisseaux qui coulaient dans la vallée. Il sentait presque les vieux esprits des ours courir le long de la rivière. Des cailloux lisses et ronds roulaient sous ses pattes ; ses coussinets glissaient sur la vase.

L'ourson ne tenait plus en place. Il se mit à courir autour de sa mère en l'éclaboussant. Pêcher... Cela faisait tellement longtemps qu'il attendait ce moment ! Il aperçut un ours qui tenait un poisson entre ses mâchoires. Le saumon frétillait, ses écailles étincelaient au soleil. Plusieurs grizzlis s'approchèrent et examinèrent la prise avec envie. Toklo crut qu'ils allaient se battre pour l'avoir.

Pas Oka. Elle fixait la rivière d'un regard vide, les pattes flasques et les muscles des épaules relâchés, en chuchotant quelque chose. Toklo cessa de courir et écouta.

— Fais bien attention, mon petit rayon de miel ! Un long voyage t'attend.

Elle baissa la tête et toucha l'eau du bout de la truffe.

— Esprits des eaux, je vous en conjure : prenez soin de lui. Il est si petit ! Si fatigué ! Il n'a pas l'habitude d'être seul...

Elle parlait de sa voix douce réservée à Tobi. Toklo soupira. Les esprits des eaux n'avaient pas besoin qu'on leur explique que son frère était faible ; ils le savaient très bien. D'ailleurs, s'il avait été grand et fort comme Toklo, il serait toujours en vie.

Parmi les ombres qui dansaient au fond de la rivière Toklo essaya d'apercevoir un esprit, mais il ne vit que son propre reflet et les galets qui roulaient dans la vase.

— Où il est, Tobi ? demanda-t-il à sa mère. Je ne le vois pas !

Et soudain, il eut une pensée horrible : et si Tobi ne les avait pas suivis ? S'il était resté coincé dans la montagne, tout seul dans la petite grotte, recouvert de branches et de feuilles ?

— Est-ce qu'il est là ? reprit-il. Tu crois qu'il a trouvé son chemin ?

Oka se retourna d'un bloc.

— Arrête de poser des questions idiotes ! gronda-t-elle. Tu ne sais rien de la mort !

Toklo recula, les oreilles plaquées sur son crâne. Comment pouvait-il savoir, si Oka ne lui disait rien ? Il n'avait vu qu'un seul ours mourir : Tobi. « Tobi, Tobi, Tobi ! » Maman n'avait toujours eu que ce mot à la bouche. Elle n'avait jamais rien appris à Toklo.

Tant pis ! Il se débrouillerait tout seul. Sa mère n'avait qu'à continuer à parler à la rivière. Il s'éloigna en tapant des pattes et se posta entre deux rochers qui formaient une cuvette. L'eau était un peu plus profonde ici. Elle lui montait presque jusqu'au ventre. Il regarda autour de lui : une femelle à la fourrure dorée était en train de pêcher. Ramassée sur elle-même, elle observait l'eau sans bouger. Tout à coup, elle bondit en avant. Une fois. Deux fois. Trois fois. L'eau jaillit dans les airs en scintillant. Quatrième essai. L'ourse plongea le museau dans l'eau et releva la tête, un petit saumon brillant entre les dents. Elle jeta un regard à gauche, à droite, s'assura que personne ne l'avait vue, s'assit le dos tourné aux autres et avala sa proie en quelques secondes.

Toklo saliva. Maintenant, il savait comment faire. Ça n'avait pas l'air compliqué ! Il suffisait d'être patient, rapide et déterminé. D'abord, chercher un bon endroit, ensuite, se placer le dos au courant. Puis, bien écarter les pattes, pour que l'eau puisse couler comme il faut. Et attendre.

Il attendit une éternité en fixant le courant dans l'espoir de voir se dessiner une forme sombre entre ses pattes. Il plissait les yeux, parce que le reflet du soleil sur les vagues lui faisait voir un peu flou.

Soudain... Un poisson, là, juste devant lui ! Toklo bondit, atterrit sur le ventre avec un grand splash ! et attrapa... un bâton moussu.

Zut ! Raté. Pfff ! Le saumon ne perdait rien pour attendre : Toklo l'aurait au prochain coup.

Il se mit sur ses pattes arrière, fut subitement déséquilibré et le courant l'emporta.

L'ourson lâcha un jappement de stupeur. Il passa devant Oka qui, toujours occupée à parler à la rivière, ne leva même pas la tête, et devant les autres ours, qui le regardèrent d'un air curieux et amusé. Et fila droit vers Shoteka, qui s'était installé au milieu du cours d'eau.

— Maman, au secours ! cria l'ourson en battant des pattes et en essayant de planter les griffes entre les galets qui tapissaient le fond de la rivière. Au sec... floublll...

Il avala une gorgée d'eau, toussa, cracha, lutta pour ne pas couler... et fonça dans les pattes de Shoteka. Aussitôt, un poids immense s'abattit sur ses épaules, et on lui enfonça la tête sous l'eau. Le cœur tambourinant, Toklo comprit : Shoteka voulait le noyer !

Il retint sa respiration et donna des coups de griffes. Il fallait se libérer de l'étreinte du grizzli coûte que coûte ! Il réussit à remonter à la surface et aspira une grande bouffée d'air, mais Shoteka le repoussa aussitôt vers le fond. L'eau lui entra dans la gueule et dans les narines. En sentant ses forces décliner, Toklo paniqua. Il tenta de mordre la patte du gros mâle. En vain.

La rivière hurlait à ses oreilles comme des milliers d'esprits furibonds.

Tout à coup, Shoteka le relâcha, et Toklo remonta à la surface. Il inspira, ses coussinets dérapant sur les cailloux. Il s'approcha de la rive et s'écroula dans l'eau. En tournant la tête, il vit Oka se jeter sur Shoteka avec un rugissement sauvage, les babines écumantes. Le mâle poussa un grondement de colère et courut se réfugier dans la forêt.

Toklo se releva, hors d'haleine et tout tremblant. Oka le rejoignit sans se presser, sa fourrure dégoulinante collée à ses flancs maigres. Elle s'arrêta sur la berge et fusilla Toklo du regard.

— Pardon, maman ! pleura l'ourson. Pardon de t'avoir désobéi. Je ne le ferai plus. Promis juré craché !

Le regard de l'ourse le pétrifiait. Il avait l'impression que ses pattes s'étaient enracinées dans la rivière. Toklo avait eu très, très peur, il aurait bien aimé que sa maman vienne lui faire un câlin.

Mais elle ne bougea pas. Au bout d'un long moment, elle lâcha d'une voix enrouée :

— Je refuse de regarder mes oursons mourir les uns après les autres.

Toklo sentit sa gorge se serrer. Il savait qu'avant Tobi et lui Oka avait eu d'autres oursons, qui étaient morts quelques lunes après leur naissance.

— Pars, gronda Oka. Quitte ce territoire ; il n'y a plus rien à manger ici. Va mourir loin de moi. Pars et ne reviens jamais.

Sur ce, elle arrondit le dos, se détourna et s'éloigna sans ajouter un mot.

CHAPITRE 10

Kallik

K allik n'aimait pas la terre ferme. Elle ne reconnaissait aucune odeur. Ses pattes s'enfonçaient tout le temps dans le sol, au lieu de glisser sur la glace lisse. Elle se sentait lourde, maladroite, et très seule.

Derrière les rochers qui bordaient le rivage, il y avait une immense étendue de sable. Plus loin, l'oursonne aperçut un drôle de monticule. Elle décida d'y aller : elle aurait une meilleure vue de là-haut. Peut-être même qu'elle apercevrait Taqqiq !

Kallik était épuisée. Sa fourrure trempée semblait peser une tonne, ses muscles la faisaient souffrir, mais il fallait avancer. Un pas devant l'autre, sans faiblir, en s'éloignant de cet océan qui lui avait tout pris.

Ses pattes laissaient des empreintes, exactement comme dans la neige. Mais lorsqu'elle voulut lécher le sable collé à sa fourrure, elle s'égratigna la langue.

Elle grimaça : la neige, c'était bien meilleur et bien plus rafraîchissant.

Elle longea la falaise jusqu'à un effondrement, puis sauta de rocher en rocher pour grimper au sommet. Pantelante, elle embrassa le paysage du regard. Le bruit des vagues était assourdissant – encore plus que le vent qui sifflait sur la banquise. Kallik aurait tant aimé enfouir le museau dans la fourrure de Nisa ! Les murmures réconfortants des Esprits des glaces lui manquaient. L'odeur de la neige lui manquait.

Sa mère lui manquait.

La nuit serait bientôt là. La petite ourse devait trouver un abri.

Devant elle, il y avait des créatures bizarres. Des créatures de haute taille, encore plus grandes que des ours polaires adultes dressés sur leurs pattes arrière. Kallik s'avança vers elles à pas prudents. « On ne sait jamais, se dit-elle. Si elles m'attaquaient ? » Mais les créatures ne bougeaient pas ; d'ailleurs, elles n'avaient même pas de pattes ; peut-être étaient-elles enterrées ? L'oursonne flaira l'air : elles dégageaient la même odeur piquante qu'elle avait sentie depuis la banquise.

Elle se mit debout et posa la patte sur un corps dur, brun et rugueux, qui s'élevait vers le ciel. Il avait plusieurs bras avec de drôles de plumes d'une couleur inconnue. Se souvenant des paroles de Nisa, Kallik se demanda si ces plumes étaient vertes. Elles lui rappelaient le bleu de la mer, mais en plus clair.

La petite ourse renifla la terre marron qui recouvrait les pattes de la créature. À cet endroit, des poils verts sortaient du sol. Le cœur de Kallik fit un bond : elle avait trouvé de l'herbe ! Perplexe, elle releva la tête et huma l'air, puis elle reposa la truffe sur l'herbe... C'était la même odeur !

« Les "plantes" ont un parfum très différent de celui de la viande, lui avait expliqué sa maman. Elles sentent le ciel, la terre et la pluie. Il y a beaucoup de plantes sur la terre ferme. De l'herbe... des buissons... des arbres... »

Ces créatures immobiles, c'étaient donc des arbres ! Maintenant qu'elle pouvait nommer les choses, elle se sentait un peu moins perdue. Avec ce que lui avait appris sa mère, elle finirait par s'y retrouver.

Elle fit le tour de l'arbre, découvrit un trou entre les racines et se faufila à l'intérieur. Le trou ressemblait un peu aux tanières que creusait Nisa dans la neige, sauf que les murs étaient en terre. Kallik y planta les griffes et entreprit d'élargir le trou. Autant rendre cette tanière confortable si elle devait rester sur la terre ferme jusqu'à la fin de Brûleciel.

Elle se roula en boule et posa le museau sur ses pattes. Dehors, les petits bouts de glace étincelaient dans le ciel, et l'Étoile-Guide brillait plus fort que jamais. Kallik se sentit rassurée : les Esprits des glaces étaient loin, mais l'Étoile-Guide veillait sur elle. Elle repensa à l'endroit où la glace ne fondait jamais, et où les ours passaient leur vie à danser. Peut-être que si Kallik suivait cette étoile, elle retrouverait Taqqiq ?

Ses paupières se fermèrent lentement et elle sombra dans un sommeil sans rêves.

Quand la petite ourse sortit de sa tanière, le soleil brillait et les arbres froufroutaient gaiement. Leurs chuchotis évoquaient un peu les esprits des ours prisonniers de la banquise. À la lumière du soleil, les formes et les couleurs semblaient prendre vie. Kallik sentit son cœur bondir dans sa poitrine. Où qu'elle soit, Nisa devait être très fière que sa fille soit arrivée toute seule sur la terre ferme !

— Ne t'en fais pas, maman, murmura l'oursonne. Je vais retrouver Taqqiq. On va s'en sortir.

— Grrrr ! lui répondit son estomac.

— Je sais que t'as faim ! répliqua Kallik. Pas la peine de râler !

Première chose à faire : trouver à manger. Des baies, ou des plantes. Sans trop penser à la viande de phoque grasse et tiède, l'oursonne renifla l'herbe qui poussait au pied de l'arbre et en avala une bouchée... qu'elle recracha aussitôt.

— Berk !

L'herbe avait un goût de crasse. Kallik décida de n'en manger qu'en dernier recours.

Elle revint vers la plage en se laissant guider par le bruit des vagues. Tous les dix pas, elle s'arrêtait et flairait l'air et le sol.

Soudain, une odeur familière vint frapper ses narines : un ours blanc ! Taqqiq ? Elle se précipita au bord de la falaise et balaya le rivage des yeux.

L'ours n'était pas très loin. Il longeait la plage d'un pas tranquille. Déçue, Kallik se renfrogna : il était bien trop gros ; ce ne pouvait pas être Taqqiq. Elle envisagea d'abord de le suivre à distance pour manger ses restes, puis elle se ravisa. Sa mère lui avait bien dit de ne pas s'approcher des autres ours. Un adulte affamé était capable de dévorer une portée entière d'oursons.

Tout à coup, un mouvement attira son attention. Plus loin, sur la plage, un deuxième ours polaire marchait dans la même direction que le premier.

Kallik eut envie de sauter de joie. Nisa lui avait parlé d'un endroit où les ours blancs se rassemblaient en attendant que la glace se reforme. Ces deux-là devaient sûrement s'y rendre ; il n'y avait plus qu'à les suivre ! Les suivre de très, très loin, bien sûr. Elle adressa une prière à Silaluk :

— Fais que Taqqiq trouve l'Assemblée des ours. Fais qu'il n'ait pas oublié ce que maman a dit. Et fais qu'il ait pu gagner la terre ferme.

Elle observa la baie qui dessinait un arc de cercle dans l'océan. Le vent faisait onduler l'eau bleu marine, que les oiseaux survolaient en piaillant.

Le mieux, c'était de longer le rivage sur le haut de la falaise. De là, Kallik verrait les autres ours approcher. Elle se remit en route. Des petites choses grises et rondes qui ressemblaient à de tout petits rochers roulaient sous ses pattes. Parfois, elles tombaient de la falaise en cliquetant. « Ce sont sûrement les "pierres" dont maman m'a parlé », se dit Kallik.

La petite ourse marcha toute la journée. Dès qu'elle sentait la présence d'un autre ours, elle s'aplatissait sur le sol. Le soir venu, comme elle n'avait pas trouvé de proie abandonnée, elle dut se résigner à manger de l'herbe. Elle se laissa guider par son odeur jusqu'à un groupe d'arbres. Certains étaient plus larges et plus petits que les autres, et surtout, ils portaient des boules noires comme sa truffe, ou rouge vif, comme du sang. Perplexe, Kallik cligna des paupières : avait-elle trouvé des baies ? Ces boules sentaient bon, mais... si elles la rendaient malade ?

— Grrrr ! protesta de nouveau son estomac.

Bon. « Soit je mange ces boules, soit je meurs de faim », se dit l'oursonne. Elle attrapa une baie entre ses dents et tira dessus pour la détacher. Ça ne valait pas un morceau de viande, mais ce n'était pas mauvais. En tout cas, c'était bien meilleur que l'herbe. Brûleciel n'allait peut-être pas être si terrible, après tout...

Les baies étaient minuscules. Il n'y avait pas de quoi faire un festin. Lorsqu'elle les eut toutes dévorées, Kallik avait le museau taché de jus rouge, les griffes poisseuses et les idées plus claires, mais elle avait toujours faim. Néanmoins, cette nourriture lui avait redonné un espoir de survie. Pour elle, et pour Taqqiq.

Elle passa la nuit dans un nouvel abri de fortune, entre deux amas de rochers. Il y faisait plus froid que dans la tanière creusée sous l'arbre. Kallik s'inquiétait pour son frère, le bruit des vagues lui agaçait les oreilles. Elle se retourna toute la nuit, sans parvenir à fermer l'œil.

Quand les premiers rayons du soleil filtrèrent entre les rochers, l'oursonne recommença de marcher. Les plantes qui sortaient du sol et les drôles de choses vertes qui poussaient sur les bras des arbres l'émerveillaient. Par moments, Kallik décelait une odeur fleurie, qui évoquait de la poussière toute légère, et qui la faisait éternuer et pleurer un peu. La neige fondait à vue d'œil ; le sol spongieux s'enfonçait sous ses pattes.

Kallik cheminait en se nourrissant de baies. Elle trouva même le cadavre d'un petit animal. La viande n'avait pas le bon goût salé de poisson, mais l'oursonne l'avala jusqu'à la dernière bouchée. Et, tout en avançant, elle tentait de mettre des mots sur les choses dont sa mère lui avait parlé.

C'est ainsi qu'elle arriva dans un « marécage » : un endroit rempli de boue, de mauvaises herbes et de trous d'eau. Nisa l'avait mise en garde : « Dans les marécages, regarde bien où tu mets les pattes. Sinon, tu t'enliseras ! »

Kallik était tellement concentrée qu'elle ne vit pas le troupeau d'animaux qui paissaient non loin d'elle. L'un d'eux s'ébroua. Surprise, Kallik leva la tête et recula en sursautant.

Ces animaux étaient énormes et perchés sur quatre pattes longues et minces. Ils avaient une fourrure marron et un museau allongé, qui semblait tout fragile. Et, chose incroyable, deux paires de griffes géantes leur poussaient sur la tête.

Des caribous ! La plupart grignotaient les plantes sans lui prêter attention, mais deux l'observaient avec curiosité. Visiblement, ils n'avaient pas peur. Kallik fila se cacher dans les buissons et contourna le troupeau.

Au coucher du soleil, alors que le ciel se teintait d'orange et de gris, Kallik parvint aux abords d'un petit étang. Elle s'accroupit pour boire, en faisant bien attention de ne pas glisser.

Soudain, la boue remua sous ses pattes. L'oursonne se figea. Il y avait quelque chose là-dedans ! Quelque chose de vivant. Quelque chose qui sauta en l'air sans prévenir.

Kallik réagit d'instinct. Elle bondit, attrapa la créature et la cloua au sol. La créature remua pendant deux secondes, puis devint toute flasque. Est-ce qu'elle était morte ? L'oursonne n'osait pas la lâcher. Au bout d'un moment, elle la renifla, puis l'examina. La chose-qui-saute avait quatre pattes palmées, une peau vert et marron, lisse comme celle d'un phoque, et luisante comme celle d'un poisson. Un corps mou et visqueux, deux yeux globuleux au sommet du crâne, un ventre blanchâtre. Kallik appuya dessus. La gueule de la créature s'ouvrit ; une longue langue rose en sortit.

Kallik croqua un petit bout de cet animal étonnant. Il avait un drôle de goût, et la même texture que le phoque, en moins gras. La petite ourse le dévora tout entier, puis elle décida d'en manger un autre. La truffe collée au sol, elle fit le tour de l'étang en creusant la vase. Kallik n'aimait pas trop la vase, qui salissait la fourrure. Elle ne trouva pas d'autres choses-qui-sautent. Tant pis ! Elle en chercherait près du prochain étang.

La chaleur avait encore augmenté. Kallik transpirait sous sa fourrure. Pendant deux jours, elle resta à l'ombre d'un buisson aux branches épaisses pour économiser ses forces. Avec le sol humide et les insectes qui bourdonnaient autour de son museau, la petite ourse avait du mal à dormir. Nisa lui avait parlé de ces insectes. Kallik ignorait si c'étaient des *mouches* ou des *moustiques*, mais elle les détestait.

Et, toujours, elle pensait à Taqqiq.

Un matin, elle découvrit une drôle de tanière. Elle avait des murs et un sol en bois, et de longues pattes qui plongeaient dans l'eau boueuse. Une odeur de nourriture inconnue s'en échappait. Apparemment, l'endroit était abandonné.

Kallik contourna la tanière à la recherche d'une entrée, qu'elle ne trouva pas. Elle persévéra. Peut-être que l'animal qui avait construit cet abri avait laissé quelques restes ? Elle passa entre les pattes en bois et aperçut deux petits œufs marron tachetés de clair. Kallik avait déjà vu des œufs, mais ils étaient toujours beaucoup trop hauts pour qu'elle puisse les attraper. D'après sa mère, les œufs contenaient des bébés oiseaux, un peu comme la tanière-berceau des bébés phoques, mais en plus petit.

L'oursonne s'aplatit sur le sol et avança en rampant, lentement, sans un bruit, en imaginant ses dents croquer la coquille et sa langue lécher l'intérieur onctueux.

Soudain, un cri perçant retentit. Kallik leva la tête et roula sur le côté, évitant de justesse l'oiseau qui fondait sur elle. L'oiseau, très en colère, essaya de lui piquer le crâne avec son bec et de la griffer avec ses serres.

Le cœur battant, le poil hérissé, le museau tout égratigné, Kallik s'enfuit ventre à terre. Ce fou furieux la poursuivit jusqu'à la lisière du marécage. Elle courut se cacher dans un bosquet et plongea sous un tas de branchages. L'autre retourna auprès de ses œufs sans cesser de crier.

Kallik se roula en boule. Si elle n'arrivait pas à attraper des œufs immobiles, comment allait-elle capturer une vraie proie ? Décidément, la terre ferme ne lui plaisait pas. Tout était bizarre, inconnu et terrifiant.

Elle repensa à l'endroit où la banquise ne fondait jamais, et où les esprits des ours dansaient dans le ciel, le peignant de mille couleurs. Elle devait aller là-bas, même si c'était très loin ! Elle allait suivre l'Étoile-Guide, et retrouver Taqqiq.

Ici, il n'y avait que la boue, la chaleur et la faim.

CHAPITRE 11

LUSA

L usa regardait la porte fermée d'un air triste. Elle ne se sentait plus en sécurité au Creux des ours. À présent, les murs gris lui paraissaient durs et hostiles. Ils la retenaient prisonnière, l'empêchant de voir ce qui se passait dehors et d'être avec sa mère.

Maman. Et si les Museaux-plats ne la ramenaient pas ?

Au matin du cinquième jour, Lusa sentit le désespoir l'envahir. Elle se mit à faire les cent pas le long des murs du Creux en songeant au dehors. Qu'arrivait-il aux ours malades, là-bas ? Les oursons n'étaient sûrement pas séparés de leur mère, ni enfermés entre des murs tout lisses et tout froids ! Ils avaient le choix, eux, au moins.

Soudain, un grondement retentit derrière la grande porte de derrière. Lusa se précipita vers elle, la truffe en l'air. Elle reconnut tout de suite l'odeur de la bête-feu. Et aussi... celle d'Ashia !

La porte s'entrouvrit. On fit entrer dans le Creux une cage, qu'un Museau-plat déverrouilla. L'ourse en sortit en secouant la tête. Le soleil la fit cligner des yeux.

Lusa gambada entre les pattes de sa mère et sauta pour lui toucher le museau.

— Maman ! Tu vas bien ! Tu n'es pas morte !

— Évidemment, répondit Ashia d'une voix endormie.

— Tu as faim ? demanda Lusa. Je t'ai gardé les meilleures baies ! J'avais très, très, très envie de les manger, mais je me suis retenue, parce que Stella avait dit que tu reviendrais ! J'ai promis à la Gardienne que, si elle te ramenait, je serais très sage et je ne mangerais pas ces baies. J'ai bien fait, hein ?

— Tu as très bien fait, petite mûre, approuva Ashia.

Elle se coucha entre deux rochers et tendit le cou pour laisser le soleil lui caresser les épaules. Yogi et Stella arrivèrent en courant.

— T'étais où, Ashia ? jappa Yogi. Raconte !

— Tu as vu la forêt ? voulut savoir Stella.

King s'avança en balançant son arrière-train et les poussa d'un coup d'épaule.

— Laissez-la respirer, ordonna-t-il.

Il renifla la fourrure d'Ashia et grommela :

— Tu as l'air en forme.

— Oui, répondit l'ourse noire en lui effleurant le museau avec le sien.

— Allez, maman ! s'écria Lusa. Qu'est-ce que tu as vu ? Dis-nous, s'il te plaîîît !

— Je suis allée dans un endroit très étrange, articula lentement Ashia. D'abord, je me suis réveillée dans une cage. La cage était dans une tanière de Museaux-plats, avec quatre murs droits sans ouvertures. Je me sentais… bizarre. Comme si j'avais dormi très longtemps. J'avais les pattes tout engourdies, je n'arrivais pas à bouger.

— T'as dû avoir drôlement peur ! s'exclama Yogi, les yeux ronds.

— Non, le rassura Ashia. C'était comme dans un rêve. Pendant un très, très long moment, j'ai fixé le plafond. Et puis, je me suis rendormie et j'ai rêvé de forêts, de rivières, de buissons et de baies par milliers.

— Ça veut dire quoi, « par milliers » ? s'enquit Lusa.

— Ça veut dire qu'il y en a tellement que tu n'arriveras jamais à tout manger, expliqua Stella.

— Un peu comme les puces de Yogi ? lança Lusa avec malice.

— Puce toi-même ! riposta l'ourson en essayant de la gifler.

Lusa esquiva le coup de patte en pouffant.

— Le Museau-plat poilu à la fourrure verte était avec moi, continua Ashia.

— Celui-là, je l'aime pas ! gronda Lusa. Il a l'air trop méchant !

— Tu te trompes, dit Ashia. Il m'a parlé gentiment, m'a donné à manger et s'est occupé de moi jusqu'à ce que j'aille mieux.

— Alors, pourquoi il t'a tiré dessus ?

— Son épine ne m'a pas fait très mal. J'ai senti une toute petite piqûre, puis je me suis endormie.

— Je l'aime quand même pas, fit Lusa.

Puis elle repensa aux autres animaux.

— Est-ce que t'as vu les tigres ? Et les fla-mants-roses ?

Cette question sembla sortir Ashia de sa torpeur.

— Oui ! Il y a beaucoup d'animaux, dehors ! Ils sont tous enfermés dans des enclos comme le nôtre. J'ai vu un animal avec des pattes immenses et un cou si long qu'il pourrait manger les feuilles de notre arbre sans grimper dessus.

— Pas possiiible ! haleta Lusa.

— Peut-être qu'il a trop tendu le cou pour essayer d'attraper des baies, suggéra Yogi.

Il se tourna vers Lusa :

— C'est ce qui va t'arriver si tu continues à danser pour que les Museaux-plats te lancent des fruits.

Ashia poursuivit :

— J'ai vu un animal géant gris à la truffe qui touchait presque par terre, aux oreilles aussi grosses que nos seaux d'eau et aux crocs recourbés qui ressemblaient à deux grosses griffes.

Lusa essaya de se représenter cet animal, mais la description qu'en faisait sa mère était vraiment trop bizarre. Une truffe qui touchait presque par terre ? Elle loucha pour regarder sa petite truffe noire et luisante, et elle cligna des paupières.

— Autour de ces enclos, il y a des sentiers gris, et une Très Grande Barrière, continua Ashia. De l'autre côté, les sentiers sont plus larges, et des bêtes-feux courent dessus en rugissant. Et tout le long des sentiers, les Museaux-plats ont construit leurs tanières.

— À quoi elles ressemblent ? voulut savoir Lusa.

— À notre tanière en pierre blanche, mais en beaucoup plus grand.

— C'est pas juste ! ronchonna l'oursonne. Pourquoi les Museaux-plats auraient des tanières plus grandes que la nôtre, alors qu'ils sont plus petits que nous ?

— Peut-être qu'ils mettent leurs arbres et leurs rochers dedans, supposa Ashia.

Yogi se gratta l'oreille avec la patte arrière et ajouta :

— Ou peut-être que leurs bêtes-feux habitent avec eux !

— Vous n'y connaissez rien, grogna King en hochant la tête. Je suis déjà entré dans ces tanières. Les Museaux-plats y entassent des tonnes de nourriture, comme les pies et les écureuils. Et aussi des trésors brillants, qui ne sont pas bons à manger.

— Pourquoi ils font ça ? s'étonna Lusa.

— Va savoir ! grinça King. Les Museaux-plats sont étranges.

Ashia s'allongea et regarda les nuages cotonneux qui voguaient dans le ciel. Peu à peu, ses paupières se fermèrent. Sa voix n'était plus qu'un murmure.

— Au loin, au-delà des sentiers, des tanières et des bêtes-feux, il y a une montagne. Une montagne si haute que la nôtre ressemble à un caillou en comparaison. Une montagne couronnée de neige et recouverte d'immenses forêts sombres.

Elle soupira.

— Elle est… magnifique.

King se dressa sur ses pattes arrière et poussa un grondement.

— Arrête de dire des bêtises ! Notre Montagne et notre Forêt nous suffisent ! Inutile de parler du dehors ; on ne pourra jamais y aller, de toute façon !

— C'est dans cette montagne que tu es né, papa ? demanda Lusa. Est-ce que tu es monté jusqu'au sommet ?

Le poil hérissé par la colère, King se tourna vers Ashia, retroussa les babines et tempêta :

— Regarde ce que tu as fait ! Je ne veux plus t'entendre parler du dehors ! Plus jamais !

Il planta ses yeux noirs dans ceux de Stella, Yogi et Lusa.

— Et c'est valable pour tout le monde !

Lusa le regarda s'éloigner sans comprendre : pourquoi son père s'énervait-il comme ça dès qu'on parlait du dehors ? Elle attendit qu'il s'installe au fond du Creux et chuchota à l'oreille de sa mère :

— Moi, j'ai envie de savoir ! Dis-m'en plus, s'il te plaît !

Ashia s'était endormie. Lusa lui secoua les pattes ; sa mère bougea un peu, mais continua de ronfler.

L'oursonne décida de s'asseoir et d'attendre qu'elle se réveille. Elle se moquait de ce que disait papa. Tout ce qu'elle voulait, c'était découvrir ce qui se passait au-delà de la Barrière.

Et elle y arriverait, d'une manière ou d'une autre.

CHAPITRE 12

Toklo

Quelques ours s'étaient approchés d'Oka et l'observaient en silence. Assise sur un gros rocher, les épaules voûtées, elle paraissait s'être transformée en pierre.

Toklo était perdu. Pourquoi sa mère l'avait-elle sauvé, si c'était pour l'abandonner ensuite ? Pourquoi était-elle furieuse contre lui ? Ce n'était tout de même pas sa faute si le grizzli l'avait attaqué !

La rivière gargouillait autour de ses pattes. Des gouttelettes d'eau glacée s'accrochaient à sa fourrure. Le vent poussait des nuages gris qui voilaient le soleil, l'air fraîchissait de minute en minute. Toklo leva les yeux vers les montagnes enneigées qui surplombaient la forêt. Il se sentait très seul, tout à coup. Très seul, très triste, et tout petit. D'abord, il avait perdu son frère, et maintenant, sa mère ne voulait plus de lui. Il devait empêcher ça.

— Pardon, maman ! s'écria-t-il. Pardon pardon pardon !

Sans se retourner, Oka secoua la tête et arrondit l'échine. « Puisque c'est ça, je me débrouillerai sans elle », songea Toklo. Il traversa la rivière et alla s'asseoir sur un rocher.

Le temps s'écoula au ralenti. Au bout d'un moment, Oka se glissa à terre. Toklo se redressa : maman allait revenir ! Elle allait lui demander pardon, et tout redeviendrait comme avant. Mais l'ourse marchait de long en large en grommelant dans sa barbe, sans accorder un regard à son fils. Un ours s'approcha d'elle. Elle se retourna d'un bloc et poussa un grondement féroce. Surpris, l'ours s'éloigna en courant.

Le poil hérissé, Toklo regardait sa mère tourner en rond, comme si elle essayait d'attraper sa petite queue. Puis elle s'assit dans l'eau et se mit à grogner, la truffe en l'air, comme attaquée par des ennemis invisibles. À la fin, elle s'allongea dans la rivière, posa la tête sur la berge, enfouit le museau sous ses pattes et respira très fort. L'ourson vit sa fourrure onduler sur son dos. Il se roula en boule et se détourna. Quand elle en aurait assez de bouder, elle reviendrait s'excuser. En attendant, Toklo allait faire une petite sieste.

Le soleil descendit lentement derrière les montagnes. Un crépuscule pourpre s'installa dans la vallée. Toklo commençait à s'endormir lorsqu'il entendit des pas sur les galets. Il se releva d'un bond. « Maman ! » La femelle grizzli s'approcha… et les espoirs de Toklo s'envolèrent. Ce n'était pas Oka. Oka était toujours couchée sur la berge d'en face.

La femelle grizzli renifla l'ourson et demanda :

— Qu'est-ce que tu fais là tout seul, petit ?

Toklo haussa les épaules.

— J'attends les saumons.

Hors de question d'avouer que sa mère ne voulait plus s'occuper de lui.

— Ils sont partis, annonça l'ourse, une lueur de tristesse dans les yeux. Les esprits doivent vraiment nous en vouloir !

Les esprits. Les esprits, que Tobi avait rejoints. « Est-ce que Tobi m'en veut à moi ? Est-ce qu'il me reproche sa mort, comme maman ? » se demanda Toklo.

— Pourquoi ils nous en veulent ? voulut-il savoir.

— Ou alors, c'est à cause des Museaux-plats, poursuivit la femelle sans lui répondre. Ils ont construit un barrage en amont de la rivière, et il empêche les saumons de passer.

Toklo avait déjà vu un barrage. Les castors en avaient construit un en travers d'un ruisseau, de l'autre côté de la montagne. Tobi était en forme, ce jour-là. Toklo et lui avaient un peu joué dans l'eau pendant qu'Oka attrapait un lièvre. L'ourson sentit son cœur se serrer à ce souvenir du temps heureux.

La femelle pencha la tête sur le côté et lui lança un regard affectueux.

— Où est ta maman ? répéta-t-elle d'une voix douce.

Toklo se laissa glisser sur le sol, s'avança au bord de l'eau et désigna Oka avec son museau.

— Va vite la retrouver, lui conseilla l'ourse. Sinon, elle risque de s'inquiéter.

« Si seulement c'était vrai ! » se dit Toklo.

— Tu veux que je t'accompagne ? proposa la femelle.

— Non, merci, s'empressa de répondre l'ourson. Ça ira.

Il ne voulait pas que cette gentille ourse voie le comportement étrange de sa mère.

— Comme tu voudras, mon petit. Bonne chance !

Elle toucha la truffe de Toklo avec la sienne et disparut dans la pénombre. L'ourson la regarda s'éloigner, le cœur gros. Pourquoi n'avait-il pas une maman comme elle ? Une maman qui s'occuperait de lui, qui s'inquiéterait pour lui et qui lui ferait des câlins ?

Il retraversa la rivière. L'eau était encore plus froide que tout à l'heure. Oka semblait pétrifiée. Toklo n'osait pas parler, de peur qu'elle ne se jette sur lui comme elle avait failli se jeter sur l'autre ours. Il alla s'allonger un peu plus loin.

Quand vint la nuit, un vent vif et glacé se leva et il commença à neiger. Toklo aurait bien aimé se blottir contre sa mère. Cela faisait si longtemps qu'il n'avait pas senti sa fourrure toute douce ! Il posa le menton sur ses pattes et la regarda dormir. Elle marmonnait des paroles incompréhensibles et frappait le sol avec ses pattes.

Toklo ne reconnaissait plus sa maman. C'était comme si les arbres se mettaient à marcher, ou comme si la rivière coulait à l'envers. Une maman, c'était censé protéger ! Être forte. Oka devrait lui apprendre à devenir un ours. Les autres mères n'étaient pas comme elle ! Les autres mères ne parlaient pas toutes seules et n'abandonnaient pas leurs petits.

Toklo s'endormit la tête pleine de pensées lugubres.

Il rêva qu'il était dans sa tanière-berceau. Les murs de terre incurvés lui tenaient chaud. Recroquevillé contre lui, Tobi ouvrait et fermait la gueule, comme s'il apprenait à respirer.

La terre sentait bon les feuilles, la mousse et l'humus. Son parfum piquant lui chatouillait les narines. Toklo éternua... et se réveilla en sursaut. Oka se tenait au-dessus de lui, une lueur bizarre dans ses yeux mi-clos.

— Guidez ses pas sur la terre et les rochers, jusqu'à l'eau que vous habitez, murmurait Oka.

Horrifié, Toklo se releva d'un bond et s'ébroua. Sa mère était devenue folle, ou quoi ? Il n'était pas encore mort !

— Arrête ! gémit-il. Pourquoi tu fais ça ?

L'ourse fixait le vide. Elle paraissait en état de choc.

— Maman ? fit Toklo. Je vais bien, regarde, je ne suis pas mort !

Oka plissa les paupières, dénuda les crocs et cracha :

— Tu *devrais* être mort !

L'ourson recula d'un pas et se figea. Ce signe, sur le sol... c'était le même que celui qu'elle avait tracé pour Tobi ! Les esprits allaient-ils venir le chercher ? Fallait-il qu'il meure à cet endroit ? Et s'il mourait autre part, et que les esprits ne le trouvaient pas parce que le signe était ici ?

— Va-t'en ! rugit Oka.

— Mais... mais tu es ma maman, pleurnicha Toklo.

— Je n'ai pas d'oursons, gronda Oka. Va-t'en !

Et elle se jeta sur lui, toutes griffes dehors.

Effrayé, Toklo s'enfuit ventre à terre vers la forêt.

Une fois à l'abri sous les pins, il s'arrêta et se retourna. Debout sur ses pattes arrière, Oka poussait des rugissements terribles en roulant des yeux fous. Toklo frissonna : cette ourse n'était pas sa mère. Sa maman à lui était partie quand Tobi était mort. Son esprit avait dû le suivre dans les profondeurs de la rivière.

Il fallait qu'il parte, loin, très loin de cette étrangère.

Il s'enfonça dans la forêt en courant. Il se répétait que tous les oursons quittaient leur mère un jour. Et tant pis si Oka ne lui avait jamais appris ni à chasser ni à pêcher.

— J'apprendrai tout seul, dit Toklo à voix haute pour se donner du courage. Je serai bien mieux sans maman. Je vais enfin pouvoir faire ce que je veux. Vivre dans la montagne, loin des sentiers-qui-puent et des bêtes-feux toutes moches.

À mesure que Toklo zigzaguait entre les pins mouchetés de soleil, le ciel se colorait de bleu. Un vent tiède faisait bruire les branches et caressait sa fourrure. Le glouglou de la rivière guidait ses pas. Des odeurs nouvelles venaient frapper ses narines : ça voulait dire que la terre s'éveillait et que Sautepoisson arrivait.

Toklo était un survivant. Il s'en sortirait.

De toute façon, il n'avait pas le choix.

CHAPITRE 13

Kallik

L e soleil apparut à l'horizon, grignotant les ombres de la nuit qui glissaient sur l'herbe mouillée. Les nuages qui traînaient dans le ciel ressemblaient à de longues traces de griffes.

Kallik ne tenait plus debout. La faim lui tordait l'estomac. Les pattes tremblantes, l'oursonne alla s'asseoir sous un arbre et leva les yeux vers l'Étoile-Guide. Toute la nuit, elle avait essayé de la suivre sans trop s'éloigner du rivage. L'odeur de l'océan la rassurait.

Kallik entendait l'appel de l'Étoile ; elle sentait presque le parfum des glaces éternelles. Elle avait hâte de retrouver son frère ; il l'attendait sûrement à l'Assemblée des ours.

Elle se remit en route. Ses pattes s'enfonçaient dans le sol boueux avec un bruit de succion. Ses coussinets glissaient sur la vase qui collait à ses griffes. Kallik se sentait horriblement sale. Elle mangea quelques touffes d'herbe gorgée d'eau sans réussir à apaiser sa faim.

Elle était tellement fatiguée qu'elle faillit ne pas remarquer la petite boule de poils bruns cachée juste devant elle. Au moment où Kallik passait devant l'animal, une rafale de vent écarta les brins. L'oursonne bondit et planta les griffes dans la chair molle. C'était un lapin. Un lapin déjà mort.

Tant pis, Kallik avait trop faim. Elle déchira la peau d'un coup de griffes, remercia les Esprits des glaces et engloutit le lapin en quelques bouchées. Ensuite, elle repartit vers le rivage en se laissant guider par les cris des oiseaux.

Les oiseaux. Il y en avait partout, à présent. Dans le ciel, sur l'eau, sur la plage. Le sable était couvert de petites traces de pattes à trois serres. Kallik n'en avait jamais vu autant à la fois. Grâce aux descriptions de sa mère, elle reconnut quelques canards et plusieurs pluviers. Les oiseaux au long cou, là-bas, ce devait être des oies.

Un peu avant haut-soleil, elle descendit sur la plage, où cinq pluviers se disputaient un poisson argenté en poussant des cris stridents. Soudain, un autre plongea et attrapa le poisson. Aussitôt, un troisième oiseau le lui arracha des pattes.

Sans réfléchir, Kallik se ramassa sur elle-même, bondit en avant et plaqua un pluvier au sol. Elle n'en revenait pas : sa première proie ! Elle lui planta les crocs dans le cou, vite, avant qu'elle ne s'échappe, puis elle lui enleva les plumes avec ses griffes et croqua la chair palpitante.

À présent, le soleil tapait fort, mais Kallik s'en moquait. Elle avait enfin le ventre plein. Triomphante, elle repartit en regardant les oiseaux battre des ailes, tournoyer dans le ciel et pêcher des poissons dans la baie. Bientôt, des buissons verts apparurent. Au loin, Kallik aperçut quelques arbres épars.

Tout à coup, elle s'arrêta et flaira l'air. Ça sentait très fort, ici – comme si toute la pluie du ciel s'était rassemblée au même endroit. Attirée par l'odeur de boue, de roseaux et d'arbres pourris, l'oursonne se mit à courir. Elle traversa un fourré et s'immobilisa. Devant elle s'étendait une rivière marron qui se jetait dans la baie.

Kallik hésita : cette rivière était large, tumultueuse, et elle semblait très profonde. Elle allait devoir la traverser à la nage. Elle frissonna : les cris de sa mère résonnèrent à ses oreilles, l'image des ailerons noirs apparut devant ses yeux.

Elle décida de contourner cette eau.

Elle tourna le dos à l'océan et trottina le long de la berge caillouteuse. La rivière serpentait entre les herbes hautes et les arbres rabougris. Elle paraissait interminable. Quand elle commença à avoir mal aux pattes, Kallik se résolut à la traverser à un endroit où le courant paraissait un peu moins fort.

Elle trempa une patte dans l'eau.

— S'il te plaît, Silaluk, fais que j'arrive de l'autre côté ! pria-t-elle à mi-voix avant de se mettre à nager.

L'eau, délicieusement fraîche, détendit ses muscles douloureux. Soudain, la petite ourse sentit quelque chose lui cogner les pattes. Elle plongea pour voir ce que c'était, mais l'eau était toute trouble à cause de la boue.

Puis Kallik entendit un drôle de bruit. Un cliquetis, ou plutôt un sifflement, qui résonnait comme dans une grotte métallique. Elle remonta à la surface : des dizaines de créatures grises au corps lisse l'encerclaient. Le cœur tambourinant, elle tenta de comprendre : qu'est-ce que c'était ? Les rochers ronds qui avaient pris vie ? Des orques ?

« Esprits des glaces, au secours ! »

Soudain, un jet d'eau salée lui arrosa la figure. L'instant d'après, une tête joufflue émergea de l'eau. Kallik poussa un soupir soulagé : ce n'étaient pas des orques, mais des petites baleines grises ! Le baleineau remua ses ailerons et lâcha un cri joyeux. Un deuxième l'imita au milieu des cliquetis et des sifflements métalliques.

Ils se mirent à nager lentement autour d'elle. Ils avaient une forme bizarre, mais ils se déplaçaient avec grâce. Kallik se sentait toute pataude à côté d'eux.

Après la vase et la poussière du chemin, ce bain était un vrai délice. Kallik en avait presque le vertige. Que c'était agréable, de sentir la saleté s'en aller ! Elle aspergea à son tour les baleineaux, qui cliquetèrent de joie. L'eau avait un bon goût piquant, plein de promesses. Un goût de glace, de glace fondue, mais de glace quand même.

Les deux farceurs l'accompagnèrent jusqu'à la rive en l'éclaboussant. Au moment où Kallik se hissait sur la berge, une maman baleine appela ses petits, qui se dépêchèrent d'aller la rejoindre. Kallik les regarda s'éloigner avec un pincement au cœur. Ils n'étaient pas seuls, eux ! Ils pouvaient jouer, et ils avaient quelqu'un sur qui compter.

Trempée, épuisée et un peu découragée, l'oursonne décida de trouver un abri. Elle repéra un rocher creux face à l'océan, s'aménagea un espace confortable en creusant le sable et se blottit dans la tanière en respirant les effluves salés.

Elle s'endormit la tête pleine de questions. Combien de temps les esprits restaient-ils dans l'eau ? L'esprit de sa maman était-il avec eux ? Avait-il rejoint les étoiles ? Veillait-il sur Kallik ?

Le lendemain, elle se remit en route. Le paysage commença de changer : d'abord, il y eut moins de sable et plus de cailloux. Puis de gros rochers ronds apparurent. Peu après le lever du soleil, Kallik arriva au pied d'une immense falaise qui se dressait en travers de la plage. Lorsqu'elle s'en approcha, une forte odeur d'humidité vint frapper ses narines. Au même instant, elle entendit des grognements qui ressemblaient au roulement du tonnerre. Elle ralentit et tendit l'oreille : on aurait dit des ours. Des ours qui hurlaient de douleur.

Kallik longea la falaise à pas prudents et jeta un coup d'œil de l'autre côté... Elle aperçut une petite crique de sable, entourée par des rochers. Et sur le sable des dizaines et des dizaines de morses allongés sur le ventre. Des morses horribles, avec deux longues défenses jaunes qui saillaient de sous leur lèvre supérieure, des yeux minuscules enfoncés dans leur figure plissée et un museau plat tout poilu.

Kallik se dirigea vers la crique. Les morses tournè-rent la tête avec un regard mauvais, et, soudain, l'un d'eux se rua sur elle en aboyant. Sa peau brune et gélatineuse remuait dans tous les sens. Ses défenses tranchèrent l'air tout près de la truffe de Kallik. Avec un jappement de terreur, l'oursonne fit demi-tour et détala vers l'intérieur des terres. Elle l'avait échappé belle : les défenses du morse auraient pu la transper-cer !

Une fois hors de danger, Kallik pensa à son frère. Et s'il avait croisé des morses, lui aussi ? Elle leva les yeux vers le ciel et murmura :

— Esprits des glaces, s'il vous plaît, protégez Taq-qiq. Aidez-le à suivre l'Étoile-Guide. Dites-lui de res-ter en vie. J'arrive !

CHAPITRE 14

LUSA

L usa huma l'air, le front plissé : il y avait une drôle d'odeur. Ça annonçait... le changement. Les plantes sortant de terre. Les oiseaux, de plus en plus nombreux, que la petite ourse regardait voler en soupirant. Elle enviait leur liberté.

— C'est la fin de Froideterre et le début de Poussefeuille, ma petite mûre, lui expliqua Stella. Si on vivait dehors, on chercherait des choses fraîches à manger. Ici, on n'en a pas besoin : on n'a manqué de rien pendant Froideterre. C'est normal que tu te sentes bizarre ; tu t'y habitueras. Va jouer avec Yogi : il doit être un peu perdu, lui aussi.

« Ça m'étonnerait, songea Lusa. Yogi ne monte même pas à l'Arbre de l'ours pour voir ce qu'il y a dehors. » Mais comme elle s'ennuyait toute seule, elle alla lui proposer une partie de grimpe-montagne.

Au moment où elle escaladait le gros rocher pour

137

la douzième fois, Lusa entendit un vrombissement, puis un bruit métallique. On ouvrait la porte de l'enclos des grizzlis. Elle sauta du rocher, galopa jusqu'à la Barrière, colla la truffe au grillage de métal froid et appela :

— Viens voir, Yogi ! Grognon s'est trouvé un copain !

Les deux oursons regardèrent la bête-feu s'avancer dans l'enclos de Grognon. Une odeur de brûlé emplit l'air. La bête-feu traînait une cage sur une remorque semblable à celle qui avait emporté Ashia. À l'intérieur, il y avait une grosse boule de poils bruns tout emmêlés.

Ça alors ! Un ours tout nouveau, qui venait du dehors ! Lusa se hissa sur ses pattes arrière et se retint aux fils métalliques. Deux Museaux-plats avec des fourrures sur les jambes et sur la figure déverrouillèrent la porte de la cage, attrapèrent la peau brillante sur laquelle l'ours dormait et la firent glisser sur le sol.

Le grizzli avait l'air mal en point : un corps maigre, une fourrure arrachée par endroits, le museau couvert d'égratignures. C'était une femelle, et elle avait dû se battre.

Grognon s'approcha d'elle, la flaira d'un air bougon et retourna s'asseoir dans son coin en ronchonnant.

— Il n'a pas l'air très content, commenta Lusa.

— Il a sûrement peur qu'elle lui vole sa nourriture, supposa Yogi. Regarde comme elle est maigre ! Elle doit mourir de faim !

— Tu crois que c'est une ourse sauvage ? Tu crois qu'elle vivait dans la forêt ? Peut-être qu'elle est née

dans les montagnes et qu'elle a vu les tigres, les fla-
mants-roses et les éléphants ?

— On s'en fiche ! grommela Yogi. C'est une grizzli.
Elle n'est pas comme nous.

Et il s'en alla chercher quelque chose à manger.

Mais Lusa ne s'en fichait pas. Elle avait envie d'en
savoir plus. Elle grimpa au sommet de l'Arbre de
l'ours, s'allongea sur la branche qui surplombait la
Barrière et attendit que la nouvelle venue se réveille.

Au bout d'un très, très long moment, l'ourse roula
sur le côté et agita les pattes. Lusa se redressa. Enfin !
Elle avait tant de questions à lui poser ! Elle la vit
remuer les lèvres. Que disait-elle ? D'ici, elle n'entendait rien. Vite, elle descendit de l'arbre, courut jusqu'à
la Barrière et tendit l'oreille.

— Tobi..., murmurait la femelle. Tobi... Tobi...
Tobi...

Elle parlait d'une voix douce en gardant les yeux
fermés.

Et soudain, elle gronda :

— Toklo !

Lusa était perplexe. Tobi ? Toklo ? Qu'est-ce que
c'était ? Des arbres ? Des animaux ? Et puis elle perçut un mot familier :

— Montagne...

La femelle eut un soubresaut et frappa le vide avec
ses pattes, comme si elle courait en rêve.

— Attention à la rivière, Toklo, souffla-t-elle.
Tobiii...

Lusa n'avait pas tout compris, mais elle avait envie
de hurler de joie. Cette ourse venait de la montagne,
c'était certain ! Lusa avait hâte qu'elle se réveille pour

lui poser des questions « par milliers », comme les milliers de baies sur les buissons.

La femelle grizzli dormit presque toute la journée. En attendant, Lusa s'entraîna à grimper à l'arbre. Elle tenta même de descendre la tête la première, pour voir. Pas facile ! Elle se promit de ne plus recommencer.

Perché sur un rocher, Yogi lui lançait d'un ton moqueur :

— Saute ! Peut-être que tu sais voler !

Lusa l'ignora. Elle grimpait mieux que lui, même si elle était plus jeune de plusieurs lunes.

Tout à coup, un rugissement fendit l'air. Lusa faillit tomber de son arbre. Elle se rattrapa en enfonçant les griffes dans le tronc et essaya de faire taire les battements de son cœur. Elle n'avait jamais entendu un tel cri. C'était un cri de rage, de révolte et de douleur. Même King ne criait jamais comme ça, ni ce gros râleur de Grognon.

Lusa rampa le long de la branche et jeta un coup d'œil dans l'enclos des grizzlis. L'ourse tournait en rond. Tout à coup, elle se jeta sur la Barrière. Deux fois. Trois fois. Puis elle se dressa sur ses pattes arrière et se mit à griffer le mur en poussant des rugissements de fureur.

Yogi rejoignit Lusa en haut de l'arbre. Il tremblait comme une feuille agitée par l'orage.

— Elle est folle ! s'exclama-t-il, les yeux écarquillés.

— Je crois surtout qu'elle est triste, répondit Lusa. Et très seule.

— Elle a des abeilles dans la tête, oui ! cracha Yogi.

— Elle a besoin d'un ami.

— Alors là, ça m'étonnerait !

— On n'a qu'à lui demander !

Yogi remua les oreilles.

— Si tu lui parles, tu risques de la mettre encore plus en colère.

— Je parie que non ! s'entêta Lusa.

Elle se coucha sur la branche et attendit que la femelle se calme. Au bout d'un moment, l'ourse brune s'effondra contre la Barrière, épuisée. Lusa descendit de l'arbre et s'approcha tout doucement de la grille.

— N'y va pas ! chuchota Yogi. Elle va te griffer la truffe !

Lorsqu'elle la vit, la femelle baissa la tête et lâcha un drôle d'aboiement. Comme Lusa ne savait pas si c'était un cri hostile ou amical, elle gratta le sol avec sa patte et demanda :

— Comment tu t'appelles ?

La femelle soupira et ferma les paupières. Déçue, la petite ourse baissa les yeux. Au moment où elle tournait les talons, elle entendit :

— Oka.

Le cœur de Lusa fit un bond : la femelle la comprenait ! Elle appuya sa truffe contre la Barrière et dit :

— Moi, c'est Lusa. Bienvenue au Creux des ours ! Tu viens de la montagne ? Tu as déjà vu la forêt ?

Oka enfouit la tête sous ses pattes.

— Tu vois ? s'écria Yogi, toujours perché sur l'arbre. Je t'avais bien dit qu'elle voulait pas d'amis !

— Appelle-moi quand tu iras mieux, proposa Lusa à la nouvelle. Je serai contente de parler avec toi.

Oka dormit jusqu'au soir. Quand la nuit tomba, Grognon alla se coucher dans la Grotte des Grizzlis. Oka, elle, resta dehors.

Le lendemain matin, quand Lusa revint à la Barrière, Oka faisait les cent pas en marmonnant. De temps à autre, elle se défoulait sur l'arbre qui poussait au fond de l'enclos. Il y avait des branches cassées et des petits bouts d'écorce partout. Lusa s'inquiéta pour les esprits qui vivaient dans cet arbre. Ils ne devaient pas être contents...

L'oursonne passa la journée à jouer avec Yogi et à se rouler par terre pour faire rire les Museaux-plats. Comme il faisait très chaud, il y avait beaucoup de visiteurs. Stella avait expliqué à Lusa qu'à Poussefeuille les Museaux-plats sortaient plus souvent de leurs tanières.

— Il va pleuvoir, cette nuit, annonça Stella pendant le repas du soir. Tu sens cette lourdeur et cette humidité ?

Lusa renifla en regardant les nuages qui ondulaient dans le ciel.

— J'espère qu'Oka ira dormir dans la Grotte, fit-elle.

— Qui est Oka ? demanda Stella.

Lusa désigna l'enclos des grizzlis avec son museau.

— C'est la nouvelle. Elle a passé la nuit dehors. S'il y a de l'orage, elle...

— Ne t'occupe pas des grizzlis, lança Stella. Si Oka veut rester sous la pluie, c'est son problème.

Mais Lusa s'inquiétait pour Oka. Quand il se mit à pleuvoir, la petite ourse alla se réfugier dans la tanière. Depuis l'abri de pierres blanches, elle distinguait la silhouette massive de l'ourse, blottie dans un coin de l'enclos. « Elle aurait pu au moins s'installer sous l'arbre », pensa Lusa.

Toute la nuit, la pluie tambourina sur le toit. Lusa rêva d'Oka, si seule et si triste. À l'aube, il ne pleuvait plus. Lusa enjamba Yogi, affalé par terre, les pattes repliées sur la tête, et elle sortit de la tanière.

La pluie avait lavé le ciel. L'air sentait bon le frais. Son odeur rappelait les fruits apportés par les Museaux-plats avant que Yogi ne marche dessus. Les oiseaux chantaient gaiement dans les arbres. Le soleil colorait les gros nuages gris en rose pâle.

Oka était allongée contre le grillage qui séparait les deux enclos, la fourrure imbibée d'eau. Elle regarda Lusa s'approcher d'un pas hésitant et s'asseoir près de la Barrière.

— Tu es restée ici toute la nuit ? demanda l'oursonne en penchant la tête sur le côté. Ça ne te fait rien d'être mouillée ?

Pour toute réponse, Oka ferma les yeux.

— Remarque, tu dois être habituée, enchaîna l'oursonne.

Silence.

— J'aimerais trop aller dans la montagne ! poursuivit Lusa. Ou dans la forêt, pour chasser.

— Chasser ? ricana la femelle grizzli en braquant sur Lusa des yeux noirs, étincelants de colère. Chasser quoi ? Il n'y a plus rien à manger, là-bas !

— Ah bon ? s'étonna Lusa. Je croyais qu'il y avait plein de gibier.

— Avant, oui. Avant, il y avait du poisson dans la rivière.

— C'est quoi, la rivière ? voulut savoir Lusa.

— C'est une longue langue d'eau remplie de poissons, qui coule dans les montagnes, au milieu des forêts.

— Parfois, les Museaux-plats donnent du poisson à Grognon et aux ours blancs, fit l'oursonne en plissant la truffe. Je n'en ai jamais mangé. Je n'aime pas trop l'odeur.

— Le poisson…, murmura Oka, les paupières mi-closes. C'est ce que préfèrent les grizzlis. Toklo aurait adoré ! Il aurait été un bon pêcheur. Je ne saurai jamais ce qu'il est devenu.

— C'est qui, Toklo ?

Oka roula sur le flanc, posa le museau par terre et souffla :

— Tobi… Pourquoi es-tu parti ? J'ai pourtant essayé de te trouver à manger ! Tu n'aurais pas dû partir…

— C'est qui, Tobi ?

— Si tu savais ce que ta mère a dû faire à ce pauvre Toklo, tu la haïrais, continuait Oka. Si tu savais ce qu'elle a fait pour rester en vie… Elle a pillé les tanières des Museaux-plats. Elle a mangé ce qu'ils mettent dans leurs boîtes en métal. Elle a été poursuivie par les bêtes-feux…

Un frisson la secoua de la tête à la queue.

— Pardon, Toklo.

Debout devant la Barrière, les pattes avant agrippées au grillage, Lusa regardait Oka d'un air désolé : elle n'avait pas voulu lui faire de la peine ! Au bout d'un moment, la petite ourse s'éloigna sans un bruit.

Elle ignorait ce qui était arrivé à Oka, mais ce devait être très grave.

Le lendemain, Lusa n'alla pas voir Oka. L'ourse brune passait son temps pelotonnée contre la Barrière. Personne ne faisait attention à elle. Lusa était sûre qu'elle repensait à la montagne, et à toutes ces choses qui la rendaient triste. Elle avait sans doute envie de parler à quelqu'un.

Alors l'oursonne décida de réessayer. Elle descendit de l'arbre, s'approcha du grillage et passa devant Oka. Aucune réaction. Elle revint sur ses pas. Oka poussa un grognement qui voulait dire : « Va-t'en. »

Mais Lusa était têtue.

— Bonjour, Oka, lança-t-elle, mine de rien. Comment ça va aujourd'hui ?

Oka cligna des yeux et émit un bruit de gorge.

— C'est chouette, le Creux des ours, hein ? poursuivit Lusa sans se décourager. Grognon est un peu grincheux, mais les ours noirs sont très gentils. Celui qui est en train de boire, là-bas, c'est King, mon père. Maman fait la sieste dans la Grotte ; elle s'appelle Ashia. Et le gros paresseux qui grimpe sur les rochers, c'est mon copain Yogi. Parfois, il est un peu casse-pattes, mais il me fait rire.

Oka remua les oreilles. Lusa prit cela pour un encouragement. Elle s'assit et fit courir ses griffes sur le sol.

— King est né dans la montagne, mais il n'en parle jamais, murmura-t-elle. Maman a dit qu'il y en avait une, pas très loin du Creux. C'est de là que tu viens ?

— Des montagnes, il y en a partout, gronda Oka.

J'en ai traversé des dizaines. On m'a capturée sur celle en forme de museau d'ours, celle qui a de la neige au sommet. C'est si froid, la neige, ça gèle les pattes... Pauvre Toklo !

Lusa se redressa.

— C'est comment, là-bas ? Raconte !

— J'ai fait un très long voyage, souffla Oka en regardant le ciel. J'ai suivi une rivière asséchée... J'ai marché... marché... marché jusqu'aux trois lacs au bord de la forêt morte...

— La forêt morte ? répéta Lusa avec un frisson. Qui l'a tuée ?

— Le feu tombé d'en haut. Le feu qui rugit comme un ours. Le feu que le ciel crache quand il pleut.

Elle parlait à mi-voix, comme si elle s'adressait à un ours invisible.

— J'ai vu ce feu, moi aussi ! s'exclama Lusa. Il allume les nuages pendant l'orage ! Il fait tellement de bruit qu'après mes oreilles n'arrêtent pas de siffler. Je ne savais pas qu'il pouvait tuer la forêt...

— S'il touche un arbre, toute la forêt prend feu, affirma Oka.

Lusa lui lança un regard effrayé.

— Mais... si les arbres brûlent, qu'est-ce qui arrive aux esprits des ours morts qui habitent dedans ?

À ces mots, Oka se leva d'un bond et rugit :

— Tu ne sais rien de la mort ! Fiche-moi la paix, avec toutes tes questions !

Et elle courut se réfugier de l'autre côté de l'enclos.

— Pardon ! gémit Lusa. Je ne voulais pas t'agacer !

— Ne pleure pas, petite mûre, chuchota Ashia, qui avait entendu les éclats de voix. Cette ourse n'est pas en colère contre toi. Elle est trop triste, tu ne peux rien faire pour elle.

Oui, mais tout de même, Lusa avait drôlement envie de l'aider.

Cette nuit-là, elle fit un rêve étrange. Elle traversait une rivière aux eaux glacées. Des poissons argentés sautaient tout autour d'elle, des oiseaux piaillaient dans le ciel encombré de nuages crachant du feu. Le vent courait dans sa fourrure. Les esprits des ours noirs qui habitaient dans les arbres l'invitaient à grimper le long des troncs.

Quand elle se réveilla, il faisait encore nuit. Elle avait chaud, et elle se sentait oppressée. La tanière lui paraissait plus étroite que d'habitude – comme si les murs s'étaient rapprochés. Elle sortit pour se dégourdir les pattes, mais très vite, elle s'arrêta de courir. Elle trouvait l'enclos trop petit. Elle rêvait de grands espaces, de nouveaux arbres à escalader. Elle rêvait de gibier et de nourriture goûteuse.

Elle alla s'asseoir au sommet de la Montagne. Après avoir entendu les histoires d'Oka, elle ne trouvait pas que cet endroit ressemblait vraiment à une montagne. Alors, Lusa décida de l'appeler le Rocher. Dans le ciel, la Gardienne brillait de mille feux, immobile et éternelle. Lusa se demanda si l'étoile veillait sur elle avec autant d'attention que sur les ours sauvages.

Soudain, une voix grave s'éleva derrière elle.

— Je sais à quoi tu penses.

Surprise, Lusa se retourna, glissa en bas du Rocher et se retrouva nez à nez avec son père. Assis par terre, la truffe en l'air, King observait les étoiles.

— Tous les ours s'agitent un peu au début de Poussefeuille, grogna-t-il. Mais toi, tu as autre chose en
tête. Tu tournes en rond, tu renifles tout le temps...
J'ignore ce que t'a dit cette folle, mais tu ferais mieux
d'oublier.

— Elle m'a parlé du dehors, avoua Lusa.

— Tu n'as pas besoin de savoir ce qui s'y passe !
grommela King.

Il s'éloigna et se retourna pour ajouter :

— Je ne veux plus que tu discutes avec elle.

— Mais...

— C'est un ordre !

Le poil hérissé, Lusa regarda son père se frotter le
dos contre un tronc d'arbre. Ce n'était pas juste !
Qu'avait-elle fait de mal ?

À cet instant, Ashia sortit de la tanière. En voyant
la lueur inquiète briller dans les yeux de sa mère, Lusa
sut qu'elle avait entendu la conversation. Ashia donna
un petit coup de langue sur le museau de sa fille et
lui caressa la tête avec son front.

— Tu devrais écouter ton père, murmura-t-elle.

L'oursonne enfouit le museau dans sa fourrure.

— Pourquoi ?

— Parce que Oka est malade. Quand une mère perd
ses petits, son cœur se brise, et elle ne sait plus ce
qu'elle dit.

Ses petits ? Toklo et Tobi étaient alors les petits
d'Oka ! Comment étaient-ils morts ?

— Dehors, le danger est partout, poursuivit Ashia.
Les ours ne peuvent pas survivre. Ici, on a un abri et
de quoi manger. Personne ne peut nous attaquer. Les
Museaux-plats prennent soin de nous.

Elle toucha la truffe de Lusa avec la sienne.

— Je suis heureuse que tu sois née au Creux des ours. Dehors, j'aurais eu du mal à te nourrir.

L'ourse s'ébroua et dit d'une voix douce :

— Obéis à ton père, petite mûre. Oublie le dehors !

Et elle retourna dans la tanière.

Lusa releva les yeux vers le ciel. Oublier le dehors ? Impossible ! Surtout avec toutes ces odeurs de plantes fraîchement sorties de terre. Elle grimpa au sommet d'un arbre, pointa le museau vers la Gardienne et murmura :

— Je sais que tu m'entends... Papa et maman ne peuvent pas comprendre, mais toi... Si tu connais un moyen pour qu'un jour je voie le dehors, fais-moi signe.

Lusa plissa les paupières : elle eut l'impression que la Gardienne lui faisait un clin d'œil.

CHAPITRE 15

Toklo

T oklo n'en pouvait plus. Il avait faim, il avait
froid ; ça faisait des jours qu'il longeait la rivière
en pataugeant dans la boue glacée sans rien trouver à
manger. Les saumons qui remontaient le cours bouillonnant étaient bien trop rapides pour lui.

Soudain, l'ourson renifla l'air : une proie, là-bas,
dans la forêt ! Il escalada la berge abrupte, ses griffes
dérapant sur les rochers gelés. Les pierres tranchantes
s'enfoncèrent dans ses coussinets et lui arrachèrent
des touffes de poils.

Il n'y prêta pas attention. Ça sentait le gibier. La
truffe rivée au sol, Toklo suivit la piste jusqu'à un
petit bouquet d'arbres aux branches entrelacées.
Leurs racines disparaissaient sous un tas de neige, que
le soleil n'arrivait pas à faire fondre. La proie se
cachait là-dedans, Toklo en était sûr.

Il s'en approcha en rampant... Puis il bondit et

se mit à creuser la neige et la terre. Vite, vite, vite !
Enfin, ses griffes rencontrèrent quelque chose de mou.
Un dernier coup de patte pour balayer la neige, et la
proie apparut. Non : deux... trois... quatre... *cinq*
proies ! Deux écureuils, une hermine et deux animaux
que Toklo ne connaissait pas. On les avait tués et
ensevelis sous les pins. La délicieuse odeur de viande
fraîche fit monter l'eau à la bouche de Toklo.

L'ourson retourna l'hermine. Elle avait des marques
de griffes sur le ventre et dégageait une forte odeur
musquée, qui n'était pas la sienne. Toklo comprit que
ces animaux avaient été tués par un ours, qui les avait
enterrés là pour les manger plus tard. Il se sentit tout
triste : l'autre avait dû avoir une gentille maman qui
lui avait appris à chasser... Ce n'était pas juste.

Toklo regarda autour de lui. Il dressa l'oreille, flaira
l'air : personne. Il hésita. Si l'ours s'apercevait qu'on
lui avait volé ses proies, il se mettrait très en colère.
Oka lui avait toujours dit de ne jamais voler la nourriture.

Oui, mais maintenant, Oka n'était plus là pour donner des ordres à Toklo.

Il s'accroupit et planta les crocs dans la chair tendre
de l'écureuil. Chaque bouchée lui redonnait des
forces. Très vite, le souvenir de sa mère disparut.

Lorsqu'il eut le ventre plein, Toklo recouvrit les
proies restantes de terre et de neige, ramassa des
feuilles qui sentaient fort et les dispersa sur la cachette
pour masquer sa propre odeur.

Revigoré par ce repas inespéré, Toklo repartit en
gambadant. Lui aussi, un jour, il aurait son territoire
rien qu'à lui ! Quand il serait assez grand et assez fort

pour se battre, il s'installerait quelque part où il y aurait plein de gibier.

La forêt s'étendait sur le flanc de la montagne. Toklo grimpait sans s'arrêter, l'oreille aux aguets. Il n'avait pas envie que l'ours le retrouve. Le soleil n'avait pas encore fait fondre toute la neige, qui restait très dure par endroits. Il choisit de marcher dessus, en évitant la terre imbibée d'eau, pour ne pas laisser de traces.

Ce n'était pas facile d'escalader ces rochers glissants, avec ce vent glacé qui ébouriffait sa fourrure et le faisait pleurer.

Tout à coup, il aperçut une grosse forme sombre entre les arbres. L'ours du garde-manger ! Avec ses épaules larges et sa fourrure pleine de boue, il paraissait n'avoir peur de rien. Toklo se précipita derrière un rocher et ne bougea plus. Au moindre bruit, au moindre mouvement, il serait repéré ! Par chance, le vent soufflait vers lui.

Et puis, d'un coup, le vent tomba. Au même instant, un oiseau pépia, comme pour dire au gros ours : « Il est là ! J'ai trouvé ton voleur ! » Toklo s'aplatit sur le sol. L'autre se dressa sur ses pattes arrière et huma l'air. Le cœur battant, Toklo enfouit le museau sous ses pattes. Cette grosse brute allait le débusquer ! Son énorme patte allait s'abattre sur les épaules de Toklo d'une seconde à l'autre.

« Pourvu qu'il ne me voie pas, priait l'ourson. Pourvu qu'il ne me mange pas. Pitié pitié pitié. » Quand il osa rouvrir les yeux, l'ours se dirigeait vers la rivière d'un pas tranquille. Ouf !... Toklo bondit hors de sa cachette et se mit à courir vers l'orée du bois en zigzaguant entre les arbres.

Il déboucha tout essoufflé dans une grande prairie inondée de lumière dorée. Il cligna des yeux, le temps de s'habituer à la clarté. Il avait l'impression d'avoir plongé dans un lac de soleil. Autour de lui s'étendaient des fleurs jaune vif, à perte de vue. C'était à la fois étrange et rassurant. Au loin, il aperçut une montagne, qui semblait crever le ciel. Elle avait la forme d'un museau d'ours à la gueule entrouverte. La truffe levée vers les nuages, elle paraissait demander au soleil de ne pas partir.

L'ourson renifla une fleur jaune. Elle avait une odeur à la fois âcre et alléchante, plus forte que les pissenlits qui poussaient près du sentier Noir. Le sol dégageait un parfum délicieux.

Toklo gratta la terre autour de la fleur. Au bout de la tige, il y avait un drôle de bulbe blanc. L'ourson le déterra et en croqua un bout. C'était croustillant, un peu piquant, avec un goût bizarre qui brûlait la gorge, mais ce n'était pas mauvais. Alors, Toklo en mangea un deuxième.

La nuit approchait. L'ourson creusa une petite tanière dans la congère qui bordait la forêt, puis il se faufila à l'intérieur et se roula en boule. Les étoiles commençaient d'apparaître dans le ciel bleu marine. Toklo les regarda s'allumer une à une.

La grosse étoile très brillante, celle qui abritait l'esprit du méchant ours désobéissant, paraissait le surveiller. Elle restait là, juste au-dessus de sa tête. Elle avait l'air très seule, presque aussi seule que Toklo. Comme lui, elle n'avait pas besoin des autres pour survivre. Comme lui, elle était condamnée à errer pour toujours.

L'ourson sentit ses paupières se fermer. Dans son rêve, l'étoile lui murmurait : « Tu es comme moi, Toklo ! Sois fort et tout ira bien ! »

CHAPITRE 16

Kallik

Kallik marchait le long du rivage. La marée avançait sur le sable. Bientôt, il n'y aurait plus de plage ; il lui faudrait s'enfoncer à l'intérieur des terres. L'oursonne profita d'un éboulis pour grimper en haut de la falaise. Le vent soufflait très fort ici. Chaque rafale apportait un relent nauséabond.

De l'autre côté de la falaise, un sentier gris bordé de tanières menait vers l'horizon. Kallik avait déjà vu des tanières comme celles-là : elles avaient des murs plats, un toit pointu et de grosses jambes carrées.

Soudain, un rugissement se fit entendre. Une créature passa sur le sentier au triple galop avec un cri assourdissant en crachant un nuage de fumée noire.

Kallik toussa. L'odeur dégoûtante refusait de partir. Sa maman lui avait parlé de ces créatures : on les appelait « bêtes-feux ». Les bêtes-feux ne mangeaient pas les ours, mais Kallik préférait ne pas vérifier.

Devant l'une des tanières, trois animaux à la fourrure de la couleur de l'arc-en-ciel jouaient dans l'herbe. Ils n'avaient pas l'air très dangereux, mais il valait mieux ne pas s'approcher. Ces animaux ne ressemblaient ni à des ours ni à des oiseaux. Ils couraient sur deux pattes après un objet rond en poussant des cris joyeux. Kallik sentit son cœur se serrer. Sa famille lui manquait.

Quand l'odeur de la fumée noire se fut un peu dissipée, l'oursonne décela un parfum de graisse salée. À manger ! Tous les sens aux aguets, elle descendit la pente vers le sentier gris. Ce n'était pas facile de repérer une proie, avec cette puanteur. Les odeurs se mélangeaient dans le nez de Kallik.

Une fois au bord du sentier, la petite ourse hésita. Et puis, un, deux, trois ! elle sauta sur la surface grise. C'était à la fois lisse et granuleux, et cela faisait tout drôle sous les pattes. Kallik prit une profonde inspiration et s'élança dessus.

Tout à coup, la terre trembla. La petite ourse tourna la tête à gauche : une bête-feu fonçait droit sur elle en hurlant !

Kallik lâcha un cri de terreur, accéléra et se jeta dans l'herbe au moment où le monstre passait derrière elle. Un roulé-boulé, et elle atterrit la tête la première dans un buisson d'épines. Elle se releva, partit ventre à terre à travers les fourrés... et se cogna contre une barrière en bois blanc qui ressemblait à des troncs sans feuilles. Un bout de la barrière se brisa. Kallik se retrouva dans un enclos recouvert d'herbe verte coupée à ras.

— Hiiiiii !!!

Quelqu'un cria dans la tanière. Demi-tour ! Vite, trouver les arbres. C'était beaucoup trop dangereux ici. Kallik se rua vers le bois qui s'étendait derrière les tanières, se cacha sous un gros buisson et reprit son souffle. Ouf ! On ne l'avait pas poursuivie !

Elle posa la tête sur ses pattes. Elle avait l'impression d'avoir traversé une tempête. Elle s'endormit en tremblant, transie de peur. Elle rêva de sa mère qui marchait sur un chemin de glace vers l'horizon. Kallik aurait bien voulu la rejoindre, mais elle était pétrifiée, et Nisa disparut au loin.

Au matin, il y avait moins d'agitation sur le sentier. Kallik flaira l'air, banda ses muscles et le traversa en courant. Cette fois, aucune bête-feu ne l'attaqua. Sans ralentir, elle monta en haut d'une colline et ne s'arrêta qu'au sommet de la falaise qui surplombait l'océan.

Elle avait envie de pleurer. Elle s'était écorché les pattes et sali la fourrure, qui ressemblait maintenant à un manteau gris très laid. Brûlé les narines et râpé la gorge en respirant cet air infect. Et desséché la truffe sous le soleil de plomb.

Il n'y avait pas beaucoup de plantes là où elle se tenait, juste quelques buissons déplumés et des touffes d'herbe rabougrie. Kallik voulut en manger un peu, mais les feuilles poilues lui piquèrent la langue. Elle les recracha et chercha un point d'eau. Guidée par une odeur de frais, elle longea une ravine. Un ruisseau s'écoulait en contrebas.

Le cœur léger, Kallik se précipita vers lui... et s'arrêta net.

Un ours blanc se baignait dans le cours d'eau. Il devait avoir un ou deux Brûleciels de plus qu'elle. Malgré sa maigreur, il la dépassait de deux bonnes têtes. Kallik recula : l'ours était allongé sur les galets ; il ne l'avait pas vue. Elle fit un pas en arrière... puis deux... et crac ! marcha sur une brindille. Elle se figea, effrayée.

L'ours tourna la tête, braqua ses yeux noirs sur Kallik, se leva, s'ébroua en faisant jaillir une pluie de gouttelettes et grommela :

— Viens boire un peu. Allez, approche ! Je ne vais pas te manger !

— Euh... merci, répondit Kallik.

Elle avait la voix enrouée : cela faisait si longtemps qu'elle n'avait pas parlé ! Sans quitter l'ours des yeux, elle s'avança au bord du ruisseau et but quelques gorgées d'eau pendant qu'il l'observait sans bouger.

Kallik réfléchit à toute vitesse. Nisa lui avait dit de ne jamais parler aux étrangers, mais celui-ci ne semblait pas méchant. S'il avait voulu l'attaquer, il l'aurait déjà fait. Et puis, peut-être qu'il pourrait l'aider à retrouver Taqqiq. Alors, elle dit :

— Bonjour, je m'appelle Kallik.

— Mmm, grogna l'ours. Moi, c'est Purnaq.

L'oursonne poussa un soupir de soulagement : c'était tellement agréable de discuter avec quelqu'un ! Les mots s'échappèrent de sa gueule sans qu'elle puisse les arrêter :

— Tu voyages seul ? Moi, oui. Ma maman a été tuée par des orques, et j'ai perdu mon frère. Il s'est enfui et, maintenant, j'essaie de le retrouver. Maman et moi, on était dans l'eau quand les orques nous ont attaquées. Elle m'a poussée sur la glace juste avant que les orques ne l'attrapent. C'était... c'était horrible ! Je suis sûre que mon frère est vivant. Je dois le retrouver.

— C'est triste, commenta Purnaq en haussant les épaules. Mais les temps sont durs, tu sais. Des histoires comme la tienne, j'en entends tous les jours.

Le cœur de Kallik fit un bond.

— Tu as vu d'autres ours ? Combien ?

Purnaq lui lança un regard surpris.

— Mais d'où tu sors, petite ? Va donc jeter un coup d'œil là-bas...

Du menton, il désigna le bord de la falaise. Kallik traversa le ruisseau, grimpa la pente poussiéreuse et regarda en contrebas.

Il y avait là des dizaines d'ours blancs, qui contemplaient la mer scintillante ! Des ours efflanqués, blessés, affamés, qui attendaient le retour de Neigeciel.

Kallik les observait, le souffle coupé : elle avait enfin trouvé l'Assemblée des ours !

Elle s'écria :

— J'arrive, Taqqiq !

Et elle s'élança vers la plage.

CHAPITRE 17

LUSA

Cela faisait une lune qu'Oka était arrivée au Creux des ours. Il y avait beaucoup de Museaux-plats en ce chaud matin de Poussefeuille. Allongée sur une branche au sommet de l'Arbre de l'ours, Lusa les écoutait bavarder en laissant le soleil réchauffer sa fourrure.

Oka s'était acharnée sur son arbre toute la matinée en poussant des cris de colère effrayants. Le pauvre Grognon s'était enfui au fond de l'enclos en grommelant :

— Mon arbre ! Mon arbre ! Si ça continue, il ne va plus rien en rester !

L'oursonne ignorait ce qui avait déclenché cet accès de fureur. Personne ne parlait à Oka, ni les ours ni les Museaux-plats.

Soudain, la porte de l'enclos des grizzlis s'ouvrit dans un cliquetis métallique. Lusa tourna la tête. Un soigneur entra, un seau de poissons à la main. Lusa aimait bien ce soigneur-là : il jouait souvent avec elle quand elle était bébé.

Dès qu'elle entendit la porte se refermer, Oka se retourna d'un bloc, redressa les oreilles et plissa les yeux. Lusa se raidit : elle n'allait tout de même pas dévorer le gentil soigneur ! La petite ourse aboya un avertissement, mais il ne le comprit pas. Le dos tourné à Oka, il posa le seau par terre.

L'ourse chargea. En un éclair, elle se jeta sur le soigneur, qui tomba à la renverse en hurlant de douleur. Oka ouvrit une gueule gigantesque, poussa un rugissement épouvantable et commença de lui labourer la poitrine.

Terrifiée, Lusa se cramponna au tronc de l'arbre et appuya la figure contre l'écorce. Le soigneur hurlait. La foule hurlait. Oka hurlait. Cela n'en finissait pas.

Enfin, Lusa entendit un nouveau cliquetis. Elle leva la tête : un Museau-plat se rua dans l'enclos, un bâton métallique à la main. Le bâton cracha une aiguille. Pop ! Oka se cabra et, toutes griffes dehors, se précipita sur le Museau-plat au bâton, puis elle se figea, tangua à gauche, à droite, cligna des yeux, secoua la tête et s'effondra dans un nuage de sable.

Aussitôt, plusieurs Museaux-plats accoururent vers le blessé. Ils pressèrent des petits bouts de fourrure blanche sur ses plaies, mais le sang continuait de couler. Il formait une mare géante sur le sol. Là-haut, d'autres Museaux-plats éloignaient la foule agglutinée contre la rambarde.

Lusa resta longtemps coincée entre la branche et le tronc. Elle tremblait sans pouvoir s'arrêter. Oka s'était attaquée à ce soigneur sans motif ; Lusa n'avait jamais vu ça. King et Ashia avaient raison : Oka avait un gros, gros problème.

Les Museaux-plats emportèrent le blessé sur une grande fourrure blanche. Deux d'entre eux restèrent un moment dans l'enclos à parler dans leur langue en regardant tristement Oka, qui dormait sur le sol.

Lusa finit par descendre de l'arbre et courut rejoindre Stella et Ashia. Assises en haut du Rocher, les deux ourses noires semblaient très choquées. Lusa enfouit le visage dans la fourrure de sa mère et se mit à pleurer.

Ashia lui caressa la tête avec sa large patte.

— Calme-toi, petite mûre. C'est fini !

— Je t'avais bien dit que cette ourse était folle ! commenta Stella.

— Les Museaux-plats vont la soigner, sanglota Lusa. Hein, maman ? Ils t'ont bien soignée, toi !

Ashia et Stella échangèrent un regard lourd de sens. Puis Stella raconta :

— Quand je suis arrivée au Creux, il y avait un ours blanc qui s'est jeté sur un soigneur. On l'a emmené... et il n'est jamais revenu.

Lusa sanglota de plus belle.

— Mais peut-être qu'Oka reviendra, tenta de la rassurer sa mère.

— Ou peut-être qu'elle sera relâchée dans la nature ! ajouta Lusa, pleine d'espoir.

— Ça m'étonnerait, fit doucement Stella. Elle risquerait d'attaquer d'autres Museaux-plats. Elle est trop dangereuse.

Le cœur gros, Lusa alla s'asseoir contre la Barrière et attendit qu'Oka se réveille. Le soir venu, la femelle grizzli se leva en titubant et en grognant. Elle regarda autour d'elle. Quand elle aperçut Lusa, elle se traîna vers elle, s'allongea, posa le museau sur ses pattes et poussa un gros soupir.

Lusa ne savait pas quoi dire. Au bout d'un moment, Oka plissa les paupières et bougonna :

— Tu veux que je t'explique pourquoi j'ai fait ça ?

— Oui, souffla Lusa.

L'ourse contempla les taches de sang noir qui maculaient sa fourrure et murmura :

— J'étais très en colère. Contre moi, parce que je n'ai pas été capable de m'occuper de Toklo. Contre les Museaux-plats, parce qu'ils m'ont enfermée ici. Contre tout, et tout le monde.

Elle braqua sur Lusa un regard résigné.

— On va m'envoyer au Pays du Sommeil, n'est-ce pas ?

— Je… je ne sais pas trop, bredouilla l'oursonne.

— Ça m'est égal, soupira Oka en fermant les yeux. Je n'ai plus rien, ici. Et, comme ça, j'irai rejoindre mon Tobi.

Lusa se coucha tout près de la Barrière. Elle aurait voulu traverser le grillage et faire un câlin à Oka pour la réconforter.

— Je vais rester avec toi jusqu'à ce qu'on vienne te chercher, promit-elle.

— Merci, répondit la femelle grizzli.

Elles restèrent là très longtemps, toutes les deux, sans rien dire. Lusa entendit King grommeler un commentaire à Ashia. Elle ne se retourna pas : elle savait que sa mère la laisserait dormir avec Oka, cette nuit.

Lusa regarda la Gardienne, qui brillait de toute sa splendeur dans le ciel sombre éclaboussé d'orange.

— Tu n'as rien à craindre, chuchota l'oursonne à Oka. La Gardienne te protège.

Oka leva le museau et ricana :

— Cette étoile ne protège personne : c'est l'esprit d'un ours qu'on a emprisonné pour le punir de sa méchanceté. Son étoile est la plus froide du monde entier. Cet ours est tout seul... comme moi.

— Ce n'est pas vrai ! objecta Lusa. Il y a plein d'animaux avec lui. Je sais qu'on ne les voit pas très bien à cause de toutes les lumières des Museaux-plats, mais Stella me l'a dit. Et puis, toi, tu n'es pas toute seule : je suis là.

Oka se radoucit.

— Je suis contente que tu sois restée.

— Tu crois que tu vas aller au ciel ? demanda Lusa. Je pensais que les esprits des ours allaient dans les arbres. Si tu deviens un arbre, je pourrai peut-être grimper sur toi ! Comme ça, on sera ensemble !

— Les grizzlis ne deviennent pas des arbres, affirma Oka avec gentillesse. Mon esprit ira d'abord dans la rivière du Grand Saumon et, ensuite, dans la mer. Ne t'en fais pas pour moi, petite, je suis prête à aller au Pays du Sommeil. J'y trouverai enfin la paix.

Lusa ne voulait pas qu'Oka se taise. Le silence l'effrayait. Alors, elle demanda :

— C'est quoi, un saumon ?

— C'est un poisson argenté très glissant. Il n'y a rien de meilleur au monde.

— Même pas les myrtilles ?

— Même pas les myrtilles, répéta Oka, amusée. Toklo aussi adorait les myrtilles, mais il aurait préféré le saumon.

Elle se griffa le museau et gémit :

— Si seulement j'avais eu la force de rester avec lui !

Lusa décida de jouer le tout pour le tout ; sinon, elle ne saurait jamais ce qui était arrivé à Toklo.

— Qu'est-ce qui s'est passé ?

— Je l'ai abandonné, avoua Oka d'une voix rauque. J'ai abandonné mon petit ourson si fort, si courageux, si gentil… Je ne sais même pas s'il est encore en vie. Il est si jeune ! Et moi, je l'ai laissé seul…

Et elle se remit à se griffer le museau. Scratch ! Scratch ! De profondes éraflures apparurent autour de sa truffe.

— Comment ai-je pu le faire ? gémissait l'ourse. Comment ai-je pu le chasser ?

Lusa était désemparée. Oka se faisait du mal. La tristesse lui avait fait perdre la raison. L'oursonne affirma :

— Je suis sûre que Toklo va bien. Il saura se débrouiller!

— Non, gronda Oka. Il est trop petit – beaucoup plus petit que toi. Si on te laissait seule dans la forêt, tu ne survivrais pas. Toklo n'a aucune chance.

— Si, je survivrais ! s'exclama Lusa.

La femelle grizzli laissa retomber le museau par terre et souffla :

— Il vaut mieux pour toi que tu ne sortes jamais d'ici. Au Creux, tu as tout ce qu'il faut : à manger, un abri, une maman qui ne t'abandonnera jamais…

Seulement Lusa mourait d'envie de sortir d'ici. Elle avait la tête remplie d'arbres gigantesques, de rayons de soleil filtrant à travers les branches vert sombre, et de gouttes de pluie tambourinant sur les feuilles.

— Un jour, je quitterai le Creux, martela-t-elle. Et j'irai voir la montagne.

— Pour ça, il faudrait d'abord qu'on te lâche dans la nature, et ça n'arrivera jamais, déclara Oka.

Elle se tut un instant avant de soupirer :

— À l'heure qu'il est, mon Toklo est probablement mort de faim. Son esprit doit errer dans la rivière du Grand Saumon. J'ai essayé de le retrouver, tu sais... De le retrouver pour lui dire que je l'aime autant que Tobi.

Lusa frissonna face au désespoir d'Oka. Ce n'était pas juste qu'elle aille au Pays du Sommeil sans avoir pu aider son ourson ! Et, surtout, sans lui avoir dit qu'elle l'aimait. Lusa devait faire quelque chose.

Elle se leva d'un bond, appuya le museau contre la Barrière et s'écria :

— Je vais sortir d'ici, Oka ! Je vais trouver Toklo et lui dire que tu l'aimes. Promis ! Tu peux partir tranquille et rejoindre Tobi : je m'occupe de tout !

La grosse ourse brune planta son regard dans celui de Lusa. Il n'y avait rien à ajouter. L'oursonne hocha la tête avec vigueur.

Oui. Elle trouverait Toklo. Elle avait promis.

CHAPITRE 18

Toklo

Toklo fut réveillé par une griffe acérée qui lui grattait le dos.

— Je me lève, maman, marmonna-t-il en se frottant les yeux.

Et puis, il se souvint que sa mère n'était plus là. Il leva la tête… et crut mourir de frayeur.

Le gros ours du garde-manger se tenait au-dessus de lui. Il avait une profonde cicatrice sur le museau et des yeux luisants de méchanceté.

— Qu'est-ce que tu fais là ? aboya-t-il.

— Euh… je…

— Tu es passé par là ? poursuivit l'autre en désignant la forêt dans laquelle Toklo avait trouvé les proies.

— Non, je viens de la montagne, mentit l'ourson.

— Ces bois m'appartiennent, gronda le gros ours. Défense d'entrer !

Il se dressa sur ses pattes arrière et montra un tronc d'arbre avec des traces de griffes.

— Tu vois ces marques ? Elles signifient que tu es sur *mon* territoire.

— Je... je ne savais pas, bredouilla Toklo.

— Retourne d'où tu viens, ordonna le maître des lieux. De toute manière, il n'y a plus rien à manger, ici.

Et il repartit vers la forêt en grognant. Dès qu'il eut disparu dans les fourrés, Toklo regagna le champ de fleurs jaunes et se dirigea vers la montagne.

Le soleil réchauffait le sol, les congères fondaient à vue d'œil : Sautepoisson avait bel et bien commencé. De temps à autre, Toklo mangeait un bulbe de fleur. C'était moins bon qu'un lièvre ou un écureuil, mais ça lui permettait de garder des forces. Et des forces, Toklo en aurait besoin, au cas où il croiserait un ours affamé...

Les champs fleuris grouillaient de vie. Les petits animaux sentaient l'éveil de la nature et sortaient de terre. En fin de journée, Toklo découvrit un terrier. Il se posta devant, écouta et renifla. Des bruits étouffés... une odeur alléchante... Ça sentait le lapin ! La langue pendante, l'ourson creusa la terre avec impatience, mais le lapin s'enfuit.

Toklo s'endormit le ventre vide. Il rêva de chair tendre et juteuse.

Le lendemain, il reprit sa route vers la montagne en évitant les bois touffus qui bordaient les prairies. Ils étaient sans doute tous occupés par des grizzlis.

Le troisième jour, Toklo était en train de chercher un point d'eau lorsqu'il tomba nez à nez avec un lapin. Apeuré, l'animal s'enfuit vers les rochers. L'ourson se lança à sa poursuite dans une course effrénée. Quand il eut atteint la corniche, le lapin disparut dans un trou. Toklo s'arrêta net. On aurait dit que la montagne était cassée en deux. En haut, il y avait des arbres et des rochers couverts de neige, en bas, un tas de pierres et de bouts de bois, comme si un ours géant avait creusé la pente.

De la terre-qui-glisse ! Oka en avait parlé, un soir dans la tanière. Toklo lança un regard inquiet autour de lui : le sol allait-il s'effondrer de nouveau ?

« Dans la montagne, écoute bien les oiseaux, lui avait dit Oka. S'ils ne chantent pas, cours aussi vite que tu peux. »

Toklo tendit l'oreille : les oiseaux gazouillaient gaiement. Ouf ! Il n'y avait pas de danger – du moins, pas pour l'instant. La truffe dans les herbes folles, Toklo déterra quelques racines. Elles étaient fraîches et croquantes.

Plus loin, il contourna un gros rocher gris... et faillit foncer dans un grizzli. L'ours se jeta sur Toklo en aboyant :

— Va-t'en ! Tu n'as rien à faire ici !

— Pourquoi ? jappa l'ourson en reculant d'un bond. Il y a assez de racines pour tout le monde !

— File avant que je te mette en pièces ! gronda le grizzli.

— Je ne peux pas rester un peu ? pleurnicha Toklo.

Il en avait assez d'être chassé. Le territoire était immense ; il devait bien y avoir quelques coins libres !

— La montagne, c'est pour les grands, assena l'ours d'un air suffisant. Tu n'es pas assez fort. Retourne dans la vallée.

Et il lui griffa le flanc. Avec un cri de douleur, Toklo fit demi-tour et repartit vers les champs au triple galop en dérapant sur les cailloux, affolé. Le grizzli ne le lâcha des yeux que lorsqu'il eut atteint le bas de la pente.

Hors d'haleine, l'ourson s'appuya contre un rocher. Si sa mère ne l'avait pas abandonné, elle aurait donné une bonne leçon à ce gros plein de soupe ! Au bout d'un moment, il s'enfonça dans la forêt de pins, le ventre vide et le cœur gros.

Plus loin, il entendit un bruit familier : des bêtes-feux ! Il devait y avoir un sentier Noir dans les parages. D'ailleurs, l'endroit sentait le brûlé, le métal, les Museaux-plats… L'espace d'un instant, Toklo crut qu'il était revenu dans sa vallée. Puis il vit que la montagne n'avait pas la même forme. Se laissant guider par le bruit des bêtes-feux, il traversa le bois de pins et s'arrêta au bord du sentier Noir.

Du manger moisi, là, dans l'herbe, enveloppé dans une peau noire et brillante ! Toklo la déchira d'un coup de griffes. Plusieurs bouts de nourriture roulèrent sur le sol. L'ourson recula en plissant la truffe : ça sentait vraiment mauvais !

En fouillant un peu, Toklo trouva quelques os avec un peu de viande. Puis une drôle de chose creuse en métal. Il lécha l'intérieur. C'était rouge, collant et sucré.

Soudain, une bête-feu passa à vive allure avec un beuglement sonore. L'ourson sursauta et s'égratigna le museau sur le bord tranchant du métal.

Il remonta dans la forêt, la truffe en sang. Il la plongea dans une congère pour arrêter le saignement, puis creusa une petite tanière dans le sol, se roula en boule, respirant la bonne odeur d'humus tiède. Il s'endormit presque tout de suite.

Le lendemain, Toklo perçut le glouglou d'une rivière. Elle était moins large et moins profonde que celle où sa mère l'avait abandonné, mais le courant était plus violent. Sur les berges, au lieu de galets, il y avait du sable fin. Toklo s'avança dans l'eau en faisant très attention et en gardant le dos tourné au courant. Des paillettes de lumière dansaient à la surface de l'eau. L'ourson tenta d'écouter les voix des esprits des eaux, mais il n'entendit que le clapotis des vagues contre ses pattes.

Soudain, un poisson argenté passa juste sous sa truffe. D'instinct, Toklo bondit et atterrit sur le ventre dans une gerbe d'eau alors que la proie disparaissait dans les flots.

Il fallait recommencer ! Se relever… Se remettre en place… Et attendre… Un autre poisson passa devant lui. Plouf ! Deuxième plongeon, et deuxième échec. Les narines remplies d'eau, Toklo se releva en secouant la tête. Allez, courage ! Il ne devait pas abandonner, même si chaque fois le poisson lui échappait.

Toklo essaya de pêcher toute la journée. Il y avait là plein de saumons, mais ils étaient beaucoup trop rapides pour lui. Quand les rayons du soleil commencèrent à décliner, l'ourson regagna la berge, s'assit sur un rocher et lança un regard noir à la rivière.

Les poissons filaient à toute vitesse, là, tout près, comme pour le narguer.

— Merci, esprits des eaux, grommela Toklo. Merci pour *rien* ! Vous êtes vraiment stupides ! Même les écureuils et les ours noirs sont plus utiles que vous !

Il se leva et se mit à marcher le long de la berge. Où allait-elle, cette rivière ? Emportait-elle tous les esprits des eaux ? Oka disait que quand un ours mourait, son esprit voguait dans la rivière jusqu'au Pays de l'Oubli. Et qu'une fois là-bas plus personne ne pensait à lui.

Tobi n'était pas encore arrivé là-bas, puisque Toklo pensait encore à lui. Il revoyait sans cesse son petit corps recouvert de branches et de feuilles mortes. Toklo en avait assez de penser à Tobi. Tobi le traînard, Tobi le pleurnicheur, Tobi le malade. Plus vite il atteindrait le bout de la rivière, plus vite il oublierait son frère.

Toklo escalada la pente et longea le cours d'eau en restant derrière les taillis. Un peu plus loin, il aperçut une maman ourse et ses deux petits. Les oursons – un mâle et une femelle – se bagarraient dans l'eau et s'aspergeaient en riant.

— Ce n'est pas le moment de jouer, fit l'ourse brune. Arrêtez tout de suite !

L'aîné des oursons s'assit dans l'eau, mais sa petite sœur l'éclaboussa d'un coup de patte.

— Arrête, Aylen ! protesta l'aîné.

— STOP ! ordonna la maman.

Les deux oursons obéirent.

— Regardez bien attentivement, leur intima l'ourse. Elle s'avança jusqu'à un tas de rochers qui se dressait au milieu de la rivière, se campa devant et se mit à fixer l'eau. Quelques secondes plus tard, elle bondit, plongea le museau dans l'eau et le ressortit, un gros saumon frétillant entre les dents. Elle secoua violemment la tête. Quand le poisson ne bougea plus, elle l'apporta à ses petits.

— Il ne faut surtout pas sauter à l'endroit où vous voyez le poisson, expliqua-t-elle. Il faut anticiper, prévoir sa trajectoire. Ça ne sert à rien de bondir à l'aveuglette !

Toklo écoutait avec attention. C'était donc ça, le secret ! Il retroussa les babines. Si Oka lui avait appris tout ça, il n'aurait pas perdu son temps à s'agiter dans l'eau comme un fou !

— À vous, maintenant ! ordonna la maman ourse.

Les petits essayèrent, chacun son tour. L'oursonne faisait n'importe quoi et soulevait de grandes gerbes d'eau. « Elle n'y arrivera pas, se dit Toklo. Elle n'est pas assez patiente. »

En revanche, son frère avait ses chances. Il fixait la rivière avec calme et détermination. Toklo en avait les coussinets qui le démangeaient. Ses poils se dressèrent sur sa nuque. Lorsque l'ourson attrapa un poisson, Toklo faillit hurler de joie.

— Bravo, Fochik ! lança l'ourse.

— T'es pas si nul, finalement, grogna Aylen.

Fochik planta les griffes dans le flanc du poisson et alla le déposer sur la berge. Du bout du museau, il le poussa sur les cailloux secs. Toklo plissa les paupières et réfléchit à toute vitesse : l'ourse était occupée à pêcher ; le poisson gisait sur les pierres tout près de lui. Et Toklo était plus fort que les deux oursons réunis. S'il volait ce poisson, leur maman en attraperait un autre. Fochik et Aylen avaient une mère, et Toklo, non. Il méritait ce poisson bien plus qu'eux.

Il rampa sous les buissons et se tapit dans l'ombre, à quelques pas de la berge. Fochik se tenait debout au-dessus de sa proie. Chaque fois qu'une vaguelette léchait le poisson, la queue de celui-ci se soulevait.

— S'il te plaît ! suppliait Aylen en sautillant autour de son frère. Donne-m'en un bout !

— Non ! riposta Fochik. T'as qu'à en attraper un toute seule ! C'est fastoche ! Même pour les bébés !

— Je ne suis pas un bébé ! pleurnicha Aylen. Il faut que je prenne des forces, c'est tout ! Donne-m'en un peu !

Fochik tourna la tête et poussa sa sœur dans l'eau. C'était le moment ! Toklo bondit hors des fourrés, s'empara du poisson et repartit dare-dare vers la forêt.

— HÉ ! s'écria Aylen en se lançant à sa poursuite. Voleur !

— Maman ! pleura Fochik. Maman, viens viiite !

Aylen gronda :

— Rends-nous ce poisson, espèce de voleur ! Viens te battre si t'es un ours !

Toklo avait bien envie de montrer à ce bébé qu'il savait se battre, mais il avait déjà le goût du saumon dans la gueule. Il ne ralentit même pas. Quand il entendit les branches des taillis craquer derrière lui, son cœur se mit à cogner fort contre ses côtes. La maman des oursons lui courait après. Il accéléra, passa sous une branche basse, dérapa sur un tas de feuilles sèches, trébucha, se releva, se rua sous les épineux et regarda derrière lui. L'ourse gagnait du terrain !

La gueule grande ouverte, la langue pendante, elle gravissait la pente avec une facilité déconcertante.

— Tu es sur *mon* territoire ! rugit-elle.

Toklo reprit sa course. Il ne tiendrait plus très longtemps. Il commençait à avoir des crampes dans les pattes. L'ourse allait bientôt le rattraper. Et ensuite ? Se contenterait-elle de lui reprendre le poisson, ou aurait-elle envie de le punir, comme l'ours de la terre-qui-glisse ? Et si elle le griffait à mort ?

La pente était trop abrupte ; Toklo avançait de moins en moins vite. Sa blessure au flanc s'était rouverte et lui faisait très mal. Il se raidit : la grosse patte de la maman ourse allait s'abattre sur lui d'une seconde à l'autre.

Comme rien ne se passait, il s'arrêta et se retourna. La femelle grizzli se tenait à trois pas de lui sous un conifère aux branches tortueuses.

— Ici, c'est *mon* territoire ! gronda-t-elle. Pars, et ne reviens jamais !

Toklo ne bougea pas, ses pattes tremblaient beaucoup trop. De toute manière, l'ourse allait le manger tout cru, alors… Soudain, elle pivota sur place, poussa un soupir agacé et redescendit vers la rivière.

Toklo s'écroula sur le tapis de feuilles mortes. Il avait le vertige et les narines toutes sèches, mais il était sain et sauf.

Et surtout, il avait à manger.

Ce soir-là, Toklo se coucha sous un entrelacs de racines, enfin repu. Pour la première fois depuis qu'il était seul, il ne rêva ni d'Oka ni de Tobi. Il dormit d'un sommeil paisible, sans remords ni culpabilité. Il était devenu un voleur, et ça lui était bien égal.

CHAPITRE 19

Kallik

C'était une vraie mer d'ours blancs ! Il y en avait tellement que Kallik n'arrivait pas à les compter. Elle hésitait à s'avancer parmi eux. Ils ne se parlaient pas ; ils n'avaient même pas l'air de se connaître. Mais, si elle ne s'approchait pas, elle ne saurait pas si Taqqiq était là...

Un gros mâle à la fourrure tachetée de gris et au museau tout griffé faisait les cent pas le long du rivage. Soudain, il se tourna vers l'océan et hurla :

— Où êtes-vous, Esprits des glaces ? Pourquoi nous avez-vous abandonnés ? Revenez ! Nous avons besoin de vous !

Kallik aurait aimé qu'il se taise. Les Esprits des glaces ne devaient pas aimer qu'on leur fasse des reproches.

Purnaq vint la rejoindre en haut de la pente et entreprit d'enlever la boue collée à ses griffes.

— Qu'est-ce qu'ils font là, tous ces ours ? lui demanda Kallik.

— Ils attendent que la glace se reforme. Comme à chaque Brûleciel.

— Alors, on va attendre tous ensemble ?

L'oursonne était soulagée. Avec les autres, elle pourrait apprendre ce que sa mère n'avait pas eu le temps de lui montrer.

— Disons qu'on a fait une trêve, rectifia Purnaq. Pendant Brûleciel, on ne se bat pas. C'est déjà assez dur comme ça.

Kallik comprit qu'il ne fallait rien espérer des autres ours, mais leur présence la rassurait. En les imitant, elle allait trouver à manger. Peut-être même qu'ils partageraient un peu de viande avec elle. Et surtout, ils la défendraient contre les morses.

Purnaq descendit vers la plage. Elle le rattrapa en quelques bonds. Il s'arrêta et gronda, les babines retroussées :

— Ouste ! Je ne veux pas d'un bébé dans les pattes !

— Je… je ne resterai pas dans tes pattes, bredouilla Kallik. Promis ! Je vais sur la plage, comme toi.

— T'as intérêt, la prévint Purnaq avant de repartir d'un pas lourd.

Kallik attendit qu'il s'éloigne avant de se remettre en route. Des oiseaux gris et blanc sautillaient sur le rivage et picoraient des algues sans se soucier des ours. De temps à autre, ils battaient des ailes en poussant des cris perçants.

Le sable de la plage était fin et coulait entre les griffes. Kallik observa les ours un par un, sans trop insister. Certains restaient allongés sans bouger, malgré les insectes qui tournoyaient autour de leurs oreilles. D'autres mâchonnaient l'herbe piquante bleu-vert qui poussait au pied des dunes. La chaleur, accablante, rendait tout flou. Kallik passa devant deux jeunes mâles occupés à jouer à la bagarre à l'ombre des rochers. Le cœur battant, elle se figea, puis elle repartit. Ces ours étaient trop vieux pour que l'un d'eux puisse être Taqqiq.

La plupart des ours avaient laissé une profonde empreinte dans le sable, comme s'ils ne s'étaient pas levés depuis des jours. Ils économisaient leurs forces, au cas où, demain, ils ne mangeraient pas.

— Hi ! Hi ! Hi !

Kallik sursauta et se retourna d'un bloc. Deux oursons se roulaient dans les galets en riant. L'un d'eux s'empara d'une algue et se mit à courir. L'autre se lança à sa poursuite. Soudain, une ourse aboya un ordre. Les petits accoururent vers leur mère, qui leur donna à chacun une petite tape avant de se coucher. Les deux oursons grimpèrent sur son dos.

Kallik sentit sa gorge se nouer. L'image de Nisa en train de porter Taqqiq dansa devant ses yeux. Elle cligna des yeux pour chasser ses larmes. Ce n'était pas le moment de flancher !

Plus loin, elle rencontra un autre ourson, qui s'amusait à enfoncer les pattes dans le sable mouillé. Quand il les retirait, ça faisait un bruit de succion qui semblait le fasciner. Taqqiq aussi s'émerveillait de toutes les choses nouvelles. Et si c'était lui ?

Le museau levé, Kallik accéléra le pas. Cet ourson sentait les arbres et l'humus. Ça ne voulait rien dire :

une fois sur la terre ferme, les ours blancs ne devaient plus vraiment sentir la neige et le poisson.

— Taqqiq ! appela-t-elle. Taqqiiiq !

L'ourson se tourna vers elle. Et tout à coup, un mur de fourrure blanche se dressa devant Kallik, qui s'arrêta net. Jaillie de nulle part, une ourse immense dénuda les crocs et cracha avec fureur :

— Ne t'approche pas de mon fils !

Kallik s'aplatit sur le sol et rentra la tête dans les épaules. L'ourse alla rejoindre son petit. En le regardant s'éloigner, Kallik vit que l'ourson avait une oreille un peu tordue. Ce n'était pas Taqqiq.

Il fallait se rendre à l'évidence : Taqqiq n'était pas sur cette plage. Ici, tous les oursons avaient une mère. Kallik sentit le désespoir l'envahir.

Tout à coup, elle entendit un bruit bizarre qui provenait de derrière une petite dune. L'oursonne s'arrêta et dressa l'oreille. Une énorme créature apparut bientôt et se dirigea vers les ours en grondant. Affolée, Kallik regarda autour d'elle : les ours continuaient de paresser sur le sable. Ils n'avaient même pas levé le museau.

La créature ressemblait un peu aux bêtes-feux que Kallik avait vues sur le sentier de pierre grise, mais en plus large. On aurait dit un bloc de glace géant avec des flancs transparents, et des animaux à deux pattes dedans, comme ceux qui jouaient devant les drôles de tanières. Kallik eut peur : la bête-feu les avait-elle mangés ? Non, ils vivaient encore. L'oursonne les voyait s'agiter et tendre les pattes vers la plage.

Kallik voulait en savoir plus. Elle choisit de tenter sa chance auprès d'une jeune femelle couchée sur le côté. Avec ses paupières mi-closes, elle paraissait calme et détendue.

— Excusez-moi ! Je... Pardon de vous déranger, mais... Je peux vous poser une question ?

L'ourse ouvrit les yeux et lâcha un grognement. Kallik prit cela pour un « oui ». Du museau, elle désigna la créature blanche et demanda :

— Qu'est-ce que c'est ? Comment s'appellent les animaux qui sont dedans ?

L'ourse poussa un soupir agacé avant de répondre :

— Voilà pourquoi je ne veux pas de petits : ils posent toujours des questions idiotes ! C'est une bête-feu blanche. Elle n'est pas méchante ; elle vient nous voir de temps en temps en transportant les Sans-griffes.

— Les Sans-griffes ? répéta Kallik. Vous voulez dire les animaux à deux pattes ?

— C'eeest ça.

— S'ils n'ont pas de griffes, alors ils ne peuvent pas nous faire de mal ! s'exclama Kallik.

L'ourse lui jeta un regard étonné.

— Mais d'où tu sors, toi ? Tu n'as jamais vu un Sans-griffes avec un bâton-feu ?

Kallik secoua la tête.

— Si jamais un Sans-griffes pointe un long bâton vers toi, prends tes jambes à ton cou, lui conseilla la femelle. Les bâtons-feux font un bruit de glace qui craque et crachent des bouts de métal plus acérés qu'une défense de morse. Ils peuvent tuer un ours de très, très loin.

Kallik frissonna. Comment un bâton pouvait-il tuer sans toucher sa proie ? Elle se tourna vers les Sans-griffes : assis dans la bête-feu blanche, ils observaient les ours à travers le mur fin et transparent. Ils n'avaient pas de bâtons, mais ils pointaient vers eux leurs pattes roses. Cela rendait Kallik très nerveuse.

Elle remercia la femelle et se dirigea vers la mer en gardant les Sans-griffes à l'œil. Malheur ! La bête-feu blanche semblait la suivre. Kallik accéléra ; la bête-feu aussi. La petite ourse allait se mettre à courir lorsqu'un rugissement sauvage retentit. Le vieil ours qui avait rouspété après les Esprits des glaces s'était mis debout et griffait furieusement l'air. Soudain, il retomba à quatre pattes, baissa la tête et se rua sur la bête-feu blanche.

Le choc fut très violent. La bête-feu chancela. L'ours se dressa sur ses pattes arrière et, dans un crissement métallique, griffa le flanc de la créature. Kallik grimaça : le vieux mâle s'était arraché les griffes. Il avait les pattes en sang.

La bête-feu s'éloigna au triple galop en laissant de longues traces dans le sable. Le vieil ours s'effondra sur le sol en pleurant. Les autres se levèrent et se mirent à suivre la bête-feu sans lui accorder un seul regard. Kallik regarda autour d'elle. Elle repéra Purnaq, qui buvait l'eau d'un ruisseau. Elle s'approcha de lui et lança :

— Coucou !

Le jeune mâle la fusilla des yeux.

— Je ne reste pas dans tes pattes, s'empressa de souligner Kallik. Je veux juste savoir où vont tous les autres.

— Sur le territoire des Sans-griffes, annonça Purnaq. Il y a beaucoup à manger dans leurs tanières, mais c'est un endroit très dangereux.

— Tu vas y aller, toi aussi ? voulut savoir Kallik.

Purnaq haussa les épaules et regarda ses pattes.

— Je ne sais pas.

« Il dit ça pour se débarrasser de moi », songea Kallik.

— Merci pour le renseignement, fit-elle.

Quand l'ours se remit à boire, Kallik courut se cacher derrière un amas de rochers. Elle avait vu juste : quelques instants plus tard, Purnaq se dirigea vers le territoire des Sans-griffes.

Elle décida de le suivre à distance. C'était sa seule chance d'avoir à manger. Et de retrouver Taqqiq.

CHAPITRE 20

LUSA

Toute triste, Lusa regardait les Museaux-plats emmener Oka, qu'ils avaient endormie avec le bâton-qui-pique. Lusa savait qu'elle ne reverrait plus l'ourse brune. Elle espérait juste qu'elle allait rejoindre Tobi.

Elle repensa à sa promesse. Elle avait parlé un peu vite : comment allait-elle faire pour trouver Toklo ? Même si elle parvenait à sortir du Creux, survivrait-elle dehors ? Lusa sentit son poil se hérisser. Il fallait quand même essayer. Toklo était tout seul, et il croyait que sa mère le détestait. Il devait connaître la vérité !

— Tant mieux que cette vieille folle poilue soit partie, grommela Yogi en collant la truffe à la Barrière.

— Oka n'est pas folle, contra Lusa. Elle a eu une vie pas facile, c'est tout.

— Pfff ! Arrête de penser au dehors et viens jouer avec moi !

— Il n'y a pas que le jeu dans la vie, déclara l'oursonne sur un ton suffisant.

Yogi la regarda comme si elle avait perdu l'esprit.

— Si tu préfères rester la truffe dans les nuages en rêvant que tu sortiras d'ici, tant pis pour toi !

— Je *vais* sortir d'ici ! s'exclama Lusa. J'ai promis à Oka de trouver Toklo, son fils !

Yogi ricana.

— T'es même pas cap' d'aller dans la montagne !

— Et pourquoi, s'il te plaît ?

— Parce que t'es un bébé !

— C'est pas vrai ! explosa Lusa. Je trouverai Toklo et je prendrai soin de lui ! Tu verras !

Yogi lui lança un regard amusé et se tourna vers Stella.

— Stella ! Au secours ! La vieille folle a contaminé Lusa !

La jeune ourse rousse, qui se reposait sous l'arbre, rejoignit les deux oursons en murmurant :

— Je suis navrée pour ton amie, Lusa.

— Lusa veut s'échapper ! s'esclaffa Yogi. Elle croit qu'elle est capable de vivre dans la forêt !

Et il se roula par terre en se tordant de rire.

— Tais-toi ! s'emporta Lusa. C'est pas drôle !

Ashia sortit de la tanière.

— Qu'est-ce qui se passe ? demanda-t-elle.

— Lusa veut quitter le Creux des ours ! Ah ! Ah ! Ah !

— Ton père avait raison, soupira Ashia. Cette ourse sauvage t'a rempli la tête de bêtises.

— Vous ne comprenez rien ! cria Lusa. Vous êtes tous nuls !

Et elle courut se réfugier au sommet de l'Arbre de l'ours. D'ici, elle verrait peut-être un chemin qui lui permettrait de s'échapper. En tout cas, elle n'entendrait pas les autres lui dire qu'elle ne sortirait jamais d'ici et qu'elle ne trouverait jamais Toklo.

Toute la journée, Lusa resta dans l'arbre à scruter les sentiers qui serpentaient entre les enclos. Elle aurait aimé voir la Très Grande Barrière, celle qui entourait tout le terrain, mais l'arbre n'était pas assez haut. Pendant des heures, l'oursonne se creusa la cervelle. Escalader la Barrière ? Défoncer les murs à coups d'épaule ? Elle réfléchit jusqu'au crépuscule. Puis sa mère appela :

— C'est l'heure de manger, Lusa !

La petite ourse avait l'estomac dans les talons. Elle n'avait pas envie de croiser Yogi et les autres, mais comme elle n'avait rien avalé depuis la veille au matin elle descendit de son perchoir.

Ashia lui tendit une poignée de myrtilles.

— Merci, lui dit Lusa en attrapant les petites baies bleues avec sa langue.

Les myrtilles avaient un bon goût sucré. L'oursonne se sentit tout de suite mieux.

— Je sais que tu es triste, souffla Ashia avec gentillesse. C'est dur, de perdre un ami ! Je comprends que tu aies envie de vivre dehors, mais crois-moi : tu es bien mieux ici.

— Mais j'ai promis à Oka de trouver son fils !

Ashia secoua la tête.

191

— Le dehors est immense. Comment deux oursons qui ne se connaissent pas pourraient-ils se rencontrer ? En plus, on ne peut pas sortir d'ici.

Elle promena son regard le long de la Barrière.

— Les ours noirs sont les meilleurs grimpeurs de la forêt, insista Lusa. Il y a *forcément* un moyen !

— Surtout ne dis rien à ton père, soupira Ashia. Il serait fou de rage s'il apprenait ce que tu projettes de faire.

King. Après tout, pourquoi pas ? Peut-être que Lusa arriverait à lui soutirer des informations. Assis en haut d'un rocher, le gros ours noir découpait une pomme avec ses griffes. Lusa alla s'installer à côté de lui et réfléchit tout en se grattant l'oreille. Il ne fallait pas éveiller ses soupçons.

— Pourquoi tout le monde dit que c'est très dur, de vivre dans la montagne ? finit-elle par demander. Il doit y avoir à manger partout, non ? Dans les arbres, dans les buissons...

— Tu n'y connais rien ! grogna King. Il ne suffit pas de trouver à manger ; il faut aussi veiller à ne pas empiéter sur le territoire des autres. Sinon, c'est la guerre.

— Pourquoi ?

King se dirigea vers l'Arbre de l'ours et se dressa sur ses pattes arrière.

— Viens voir.

Lusa le suivit.

— Tu avais remarqué ces marques de griffes, sur le tronc ? demanda le gros ours en posant la patte sur l'écorce.

Lusa plissa les yeux. Non, elle n'y avait jamais fait attention, elle était trop occupée à s'entraîner à grimper.

— Ces marques signifient que tu es sur le territoire d'un ours adulte, expliqua King. Et, dehors, aucun adulte n'aime les voleurs. Si un ourson lui prend sa nourriture, il se mettra très en colère, surtout si c'est un grizzli. Les grizzlis ne font qu'une bouchée des petits ours noirs. Ils leur croquent la tête d'un seul coup de dents !

Lusa frissonna.

— Alors, les grizzlis mangent tous les bébés ours noirs ?

— Non, parce que les ours noirs savent grimper aux arbres. Regarde tes griffes.

L'oursonne obéit.

— Tu vois ? Elles sont recourbées ; elles sont faites pour monter aux arbres. Celles des grizzlis sont toutes droites. Les ours noirs vivent dans la forêt. Au moindre danger, ils grimpent dans un arbre. Et dans la forêt, du danger, il y en a tout le temps.

Allongée un peu plus loin, Stella intervint :

— Parfois, un ours noir trouve un arbre-qui-bourdonne. Et dans cet arbre, il y a la meilleure nourriture de la forêt.

— Qu'est-ce que tu en sais ? railla King.

— On me l'a dit, dans mon zoo d'avant ! L'arbre-qui-bourdonne pique pour protéger son trésor : le miel. C'est encore plus doux et plus sucré que les myrtilles.

King ricana et se détourna.

— Attends ! s'exclama Lusa. J'ai d'autres questions à te poser !

— À quoi bon ? s'emporta le gros mâle. Tu ne verras jamais d'arbre-qui-bourdonne. Tu ne goûteras jamais au miel. Tu n'échapperas à aucun grizzli. Et c'est tant mieux !

Il remonta sur le Rocher en grognant. Lusa soupira : Stella avait réussi à mettre King de mauvaise humeur et, maintenant, il ne voudrait plus parler. Mais elle avait quand même appris trois ou quatre petites choses…

Lusa passa deux jours à rôder autour des portes du Creux. Sa seule chance de s'évader, c'était de se faufiler par l'une de ces ouvertures quand un soigneur entrerait. Mais Yogi ne la laissait pas tranquille. Le second soir, il la rejoignit en pleurnichant.

— Pourquoi tu ne veux plus jouer avec moi ?

— Parce que, répondit Lusa sans quitter la porte des yeux. Et arrête de me donner des coups de truffe !

Yogi se renfrogna.

— Comment tu crois que tu vas sortir d'ici ? En volant ?

Il se mit à lui tourner autour en lui lançant des regards inquiets.

— Je ne te le dirai pas ! grogna Lusa. N'insiste pas !

— Tu veux que je t'aide ?

— Je n'ai pas besoin de toi.

Soudain, Lusa entendit un cliquetis familier. Elle contracta les muscles et se prépara à bondir. La porte s'ouvrit tout doucement. Un Museau-plat s'avança pas à pas. Lusa attendit…

Maintenant ! Elle s'élança vers la sortie.

Aussitôt, elle ressentit une douleur fulgurante dans tout le corps. Elle sauta en arrière. Le Museau-plat l'avait piquée avec un long bâton pointu. Il voulut recommencer, mais la petite ourse alla se réfugier derrière un rocher. Le Museau-plat entra dans l'enclos et referma la porte derrière lui.

Zut. Raté !

Vexée, Lusa racla le sol avec ses griffes. Le bâton pointu lui avait fait très mal. Les Museaux-plats étaient plus malins qu'elle ne le croyait... Pour sortir d'ici, il allait falloir ruser.

Lusa passa toute la journée du lendemain allongée sous l'arbre. Quand sa mère lui apporta à manger, elle repoussa sa patte et se toucha le ventre en gémissant. Puis elle se mit à pleurer, les pattes posées sur le museau, et ferma les yeux.

Pendant plusieurs heures, Stella et Ashia tentèrent de s'occuper d'elle. Lusa avait un peu honte de faire semblant d'être malade, mais elle n'avait pas le choix : elle avait fait une promesse à Oka. Ici, les ours pouvaient s'entraider. Toklo, lui, était tout seul dehors. Il avait besoin d'elle.

Elle refusa d'aller dormir dans la tanière malgré le vent froid qui soufflait sur le Creux. De l'autre côté de la Barrière, les animaux poussaient des cris effrayants ; de plus, avec les gros nuages dans le ciel, on ne voyait pas la Gardienne. Cela faisait un peu peur à Lusa. Elle espérait que, dehors, la grosse étoile continuerait à veiller sur elle.

Le lendemain soir, comme Lusa n'avait toujours rien avalé, les autres ours commencèrent à s'inquiéter. Yogi s'approcha et lui donna un petit coup de museau.

— Viens jouer à grimpe-montagne, Lusa. Arrête de bouder. Je n'aurais pas dû me moquer de toi. Pardon !

— Je ne me sens pas bien, marmonna l'oursonne.

Ce qui n'était pas tout à fait faux. Elle avait tellement faim que son ventre n'était plus que douleur.

Bien plus tard, deux soigneurs Museaux-plats vinrent examiner Lusa. L'un lui palpa les flancs, l'autre regarda ses oreilles avec une petite lumière. Ensuite, le Museau-plat avec une fourrure verte entra dans l'enclos. En apercevant son bâton, Lusa se raidit : et si l'aiguille du bâton l'endormait pour toujours ? Elle ferma les yeux et pensa à Oka et à Toklo pour se donner du courage.

Il y eut un petit pop ! et l'oursonne sentit une légère piqûre entre les côtes. Surprise, elle rouvrit les yeux. Perchée en haut du Rocher, sa mère l'observait d'un air inquiet. Lusa leva la patte pour lui dire adieu.

Ensuite, son corps devint très lourd. Sa patte retomba sur le sol, ses paupières se refermèrent, et il n'y eut plus que les ténèbres.

Lusa rêvait. Elle dérivait le long de la rivière du Grand Saumon. C'était un cours d'eau scintillant, qui glissait sur sa fourrure sans la mouiller. D'énormes myrtilles argentées flottaient dans les tourbillons d'écume. Lusa tendit la patte pour les attraper, mais elles lui échappèrent. Le ciel était criblé d'étoiles. Parmi elles, il y avait des dizaines d'animaux. Lusa reconnut un singe, un tigre, un flamant rose et

les créatures étranges que sa mère lui avait décrites –
celle au long cou et celle à la truffe qui touche presque
par terre. Tous remuaient la tête et dansaient joyeu-
sement.

La petite ourse essaya de bouger les pattes, en vain :
on aurait dit du plomb. Alors, elle paniqua. Elle leva
le museau pour appeler à l'aide et aperçut la Gardienne, juste au-dessus d'elle, plus étincelante que
jamais. L'oursonne et l'étoile se regardèrent. Puis, la
Gardienne se mit à grossir. Et à grossir encore. Lusa
prit peur : est-ce qu'elle était morte ? La Gardienne
venait-elle la chercher pour la transformer en arbre ?

Et puis, elle comprit que cette lumière, ce n'était
pas la Gardienne. C'était un globe-feu jaune suspendu
au plafond. Lusa essaya de deviner où elle se trouvait.
Un sol dur et froid, une cage avec des barreaux en
métal… Elle était dans une tanière de Museaux-plats.
Elle avait les muscles tout engourdis ; sa fourrure
semblait peser des tonnes. Elle se releva lentement et
regarda autour d'elle. La tanière était remplie d'objets
argentés qui brillaient sous la lumière, mais elle était
déserte. D'instinct, la petite ourse sut qu'il faisait nuit.
Ce qui signifiait qu'elle avait dormi toute la journée.

Elle fit le tour de la cage en reniflant. Un bout
de métal dépassait de la porte. Et s'il permettait de
l'ouvrir ? Lusa le secoua avec ses griffes, passa la truffe
entre deux barreaux, attrapa le bout de métal froid avec
ses dents et tira dessus. Il glissa sur le côté. Un petit
coup de patte, et clic ! la porte s'ouvrit. Lusa écarquilla
les yeux. Elle n'en revenait pas. Elle était libre !

Elle posa une patte hors de la cage, en douceur,
pour ne pas tomber. Le sol, d'un blanc étincelant,

paraissait très glissant. Sa surface lisse lui faisait penser à de l'eau. Ses coussinets dérapaient dessus. La petite ourse alla jusqu'à la porte de la tanière et s'arrêta. Pendant qu'elle se demandait comment franchir cet obstacle, une odeur d'animaux sauvages et de nourriture chaude vint frapper ses narines. Elle se hissa sur ses pattes arrière et se laissa guider par l'odeur. Dans le mur du fond, une ouverture se découpait en hauteur, juste au-dessus d'une corniche. Au prix d'un grand effort, Lusa se hissa dessus et passa la tête dans l'ouverture, puis les épaules, les pattes et l'arrière-train.

Et elle tomba de l'autre côté.

Elle atterrit dans un buisson feuillu, rebondit sur des branches souples et se retrouva dans l'herbe, saine et sauve.

Vite ! Courir vers la Très Grande Barrière. Ashia lui avait appris à se déplacer en silence. Elle s'accroupit et se faufila d'ombre en ombre, en faisant très attention où elle marchait.

Le museau frémissant, Lusa tenta de faire taire la peur et l'excitation qui s'emparaient d'elle. Toutes ces odeurs nouvelles ! Ces grognements dans les enclos ! Tous ces bruits, là-bas, dans le monde des Museaux-plats ! Et ces parfums de fleurs, au loin !

Soudain, elle entendit des pas : deux Museaux-plats venaient vers elle ! Elle se cacha derrière une grande tanière métallique qui sentait la nourriture moisie. Lusa avait très, très faim, et très envie de fouiller cette tanière, mais ce n'était pas le moment.

Une fois les Museaux-plats partis, la petite ourse longea le sentier gris, en prenant soin de courir sur l'herbe, pour que ses griffes ne fassent pas de bruit.

Enfin, la Très Grande Barrière apparut. De l'autre côté se dessinaient les contours des tanières des Museaux-plats, éclairées par leurs globes-feux. Un sentier très large courait le long de la grille. Plusieurs autres, plus petits, en partaient et serpentaient entre les tanières.

Lusa flaira l'air et regarda autour d'elle. Odeur de Museaux-plats devant, odeur de Museaux-plats derrière, à gauche, à droite... mais aucun Museau-plat en vue. La voie était libre ! L'oursonne agrippa les croisillons de métal avec ses griffes et commença de grimper.

À mi-chemin, elle eut une pensée pour les ours du Creux. Elle ne jouerait plus jamais à grimpe-montagne avec Yogi, ni aux ours-de-la-forêt avec Ashia. Elle n'entendrait plus jamais les histoires de Stella, ni les grognements de Grognon... Qu'était-elle en train de faire ? Allait-elle laisser famille et amis à tout jamais, à cause d'une promesse faite à une étrangère ?

Et puis, Lusa songea à Toklo, qui errait seul dans la montagne, au-delà des trois lacs et de la forêt morte, persuadé que sa maman le détestait. Elle avait promis ! Elle devait tenir parole.

Lorsqu'elle eut atteint le sommet de la Très Grande Barrière, les nuages se dissipèrent, et la Gardienne brilla dans le ciel. Son doux éclat rassurant semblait lui dire : « Ta famille restera à jamais entre ces murs, mais toi, tu vas enfin découvrir le dehors, Lusa. Tu vas voir les vrais arbres, les vraies rivières, les vraies montagnes ! Tu vas connaître... le monde ! »

Lusa avait très peur, mais elle n'était pas seule. La Gardienne veillait sur elle.

CHAPITRE 21

Toklo

Toklo était épuisé. Il avait mal aux pattes et trans-pirait à grosses gouttes. Toute la neige avait fondu dans les parages ; il faisait tellement chaud qu'il devait se réfugier à l'ombre ou marcher dans l'eau.

La rivière serpentait entre des bouquets d'arbres ; par endroits, elle tombait en cascade dans des gorges abruptes entourées de rochers.

Toklo avait décidé de la suivre aussi loin que pos-sible. Depuis qu'il la longeait, l'ourson se sentait moins seul : il savait que l'esprit de Tobi l'accompagnait. Ou plutôt : Toklo accompagnait Tobi, qui était beaucoup trop faible pour trouver la rivière du Grand Saumon tout seul. Et tant qu'il resterait près de l'eau, Toklo ne risquait pas de se faire attaquer par un ours, puisque la rivière n'appartenait à personne.

Quelques lève-soleil plus tard, il atteignit une vallée ceinte de hautes montagnes enneigées. Au fond, un pic en forme de museau d'ours se dressait vers le ciel, comme s'il voulait renifler les nuages. Ça sentait bon les racines et les baies ici. Il y avait moins d'arbres, et plus d'herbe et de buissons. Et aussi, des odeurs inconnues.

Soudain, Toklo entendit un bruit bizarre, qui ressemblait à un cri d'oiseau, mais en plus grave. Il grimpa sur un amas de rochers. De l'autre côté, en contrebas, un sentier Noir traversait la rivière. Sur la berge se tenaient des animaux que Toklo n'avait jamais vus. Au début, il crut que c'étaient des ours. Dressés sur des pattes arrière toutes maigres, une peau lisse de toutes les couleurs – celle des baies, celle des fleurs, celle des feuilles –, un museau pâle, tout plat et une drôle de touffe de poils sur la tête.

Certains étaient assis sur des rondins autour d'une planche montée sur quatre pattes. Une bonne odeur de nourriture chatouilla les narines de Toklo. Les créatures étaient en train de manger !

L'ourson examina les Peaux-lisses en salivant. Ils n'étaient pas bien grands : il pouvait les battre sans problème. Oui, mais les moufettes non plus n'étaient pas grandes, et pourtant elles savaient se défendre… Une fois, Toklo avait voulu en chasser une. La moufette avait soulevé sa queue noir et blanc pour lui envoyer une giclée d'un liquide affreusement puant. Toklo avait failli vomir. Il avait gardé un goût d'excrément sur la langue et une odeur d'œuf pourri dans la fourrure pendant des jours.

Et puis, ces Peaux-lisses étaient nombreux, et ils faisaient beaucoup de bruit. Peut-être qu'ils avaient des griffes ou des crocs ? Et surtout, une bête-feu gigantesque les protégeait. Installée sur un carré de cailloux près du sentier Noir, elle les observait avec ses yeux ronds et brillants. Elle était bizarre : elle ne rugissait pas et ne crachait pas de fumée.

Comme la bête-feu ne bougeait pas, Toklo en conclut qu'elle se reposait et qu'elle n'avait pas senti son odeur. Il préféra quand même ne pas l'énerver, et remonta dans la vallée. En chemin, il aperçut d'autres Peaux-lisses qui jouaient à côté du sentier, une bête-feu assise près d'eux.

Toklo passa la nuit dans la tanière qu'il s'aménagea entre les racines d'un arbre. Il tassa la terre pour rendre son abri confortable. Ici, dans la vallée, le sol était plus mou, et plus humide, donc plus facile à creuser. C'était l'endroit rêvé pour un territoire de grizzli : pas un ours à la ronde, des tonnes de bonnes choses à manger, un vent tiède, doux comme la langue de maman sur sa fourrure. Toklo s'endormit en soupirant de bien-être.

Il fut réveillé par des bruits terrifiants.

Bang ! Bang ! Bang !

Il se leva d'un bond. Une aube grise chargée de brume filtrait à travers les arbres.

Bang !… Bang ! Bang !

C'étaient des claquements secs, qui faisaient mal aux oreilles. Une odeur de métal et de fumée âcre remplissait l'air ; des Peaux-lisses criaient dans le lointain. Toklo se recroquevilla au fond de la tanière, se plaqua contre la paroi de terre et serra les paupières, effrayé.

Bang ! Bang !… Bang-bang !

Et puis :

— Waf ! Waf ! Waf !

Des chiens ! Toklo en avait aperçu dans la forêt quand il était bébé, et il se souvenait que sa mère les avait toujours évités. Tout ce qu'il savait, c'était qu'ils ressemblaient à des loups et que leur voix lui agaçait les oreilles.

Aux environs de haut-soleil, Toklo se faufila hors de la tanière. Il cueillit quelques mûres, mais ne put les manger : il avait l'estomac noué. Il y avait dans l'air une tension presque palpable, comme si un danger inconnu rôdait dans les parages.

Les bruits s'arrêtèrent à la tombée de la nuit. Toklo n'arrivait pas à fermer l'œil. Quand il s'endormit enfin, il était haute-lune passée. Dans son rêve, il était redevenu une étoile. Mais, cette fois, il était poursuivi par une horde d'animaux qui faisaient « bang ! bang ! » et qui crachaient de la fumée noire.

Il se réveilla le cœur battant et la peur au ventre. Il ne fallait pas rester ici ; c'était beaucoup trop dangereux. C'est pour ça que les autres grizzlis avaient abandonné ce territoire ! Toklo aurait dû s'en douter ; c'était trop beau pour être vrai.

L'ourson sortit de sa tanière et respira l'air du petit matin. Le vent, humide et glacé, lui apporta un silence inquiétant depuis les collines. Toklo détala sans prendre le temps de chercher de la nourriture.

Il s'arrêta à la lisière de la forêt et fixa la montagne en forme de museau d'ours. Et s'il allait par là ? Peut-être qu'il pourrait s'installer dans la vallée qui s'étendait de l'autre côté ? En longeant la rivière, il arriverait à destination. Peut-être même qu'il pêcherait un saumon.

Il se remit en route. Malgré les rayons du soleil qui commençaient d'illuminer les pics enneigés, Toklo n'arrivait pas à se réchauffer. Il marchait la tête baissée en écoutant les grognements de son estomac vide. Tout à coup, un hurlement déchira le silence.

— Au secours !

Puis, des cris retentirent. Des cris de Peaux-lisses en colère.

Toklo s'aplatit sur le tapis de feuilles, rampa sans bruit jusqu'à un gros buisson et se glissa dedans.

Les voix étaient de plus en plus proches, de plus en plus cassantes. Et soudain, un petit grizzli surgit des taillis, suivi de quatre Peaux-lisses aux fourrures rouges et orange vif. Le petit grizzli s'arrêta au pied du buisson où Toklo était caché et jeta des regards affolés autour de lui. Il était pris au piège.

Alors, deux Peaux-lisses s'avancèrent vers lui et le frappèrent avec un long bâton de métal noir.

— Laissez-moi ! hurla-t-il.

Un Peau-lisse lui lança une pierre, mais il le manqua. Le projectile atteignit Toklo à l'épaule, lui arrachant un cri de douleur.

Aussitôt, les Peaux-lisses pointèrent leurs bâtons vers le buisson et se mirent à parler très vite dans leur langue bizarre. Toklo était découvert ! Il n'y avait plus qu'une solution : la fuite ! Il jaillit de sa cachette, bouscula l'autre grizzli et s'écria :

— Suis-moi !

Il s'élança au triple galop vers la forêt. Trois secondes plus tard, il y eut un énorme bang ! Petit-

Grizzli, qui le talonnait, lâcha un cri strident. Toklo se retourna : de la fumée s'échappait de l'un des bâtons.

Bang ! Bang ! La forêt entière tremblait. Les pierres roulaient sous les pattes de Toklo. Dans son dos, les chiens aboyaient toujours plus fort, toujours plus près. Les Peaux-lisses vociféraient en courant à travers les fourrés.

Bang ! Petit-Grizzli s'effondra avec un cri de douleur et du sang gicla de son épaule.

— Debout ! s'exclama Toklo en le poussant avec sa tête.

Et ils se remirent à courir tant bien que mal, tandis que le sang coulait à grosses gouttes sur les feuilles mortes et que les Peaux-lisses hurlaient dans leur vilaine langue.

Toklo réfléchissait à toute vitesse. L'odeur du sang allait attirer les chiens – si ce n'était pas déjà fait. Il fallait brouiller les pistes !

À droite, la rivière formait un petit ruisseau qui partait vers la montagne.

— Par ici ! cria Toklo en se précipitant dans l'eau, imité par Petit-Grizzli.

Ils avancèrent ainsi jusqu'au bout de la prairie pour tromper les chiens. Puis Toklo dressa l'oreille : chute d'eau droit devant ! Les oursons jaillirent hors du ruisseau et se retrouvèrent au sommet d'une pente abrupte, qu'ils dévalèrent en sautant de rocher en rocher. Dans la précipitation, Toklo se coinça une griffe entre deux pierres tranchantes, et elle se retourna d'un coup.

Pas le temps d'avoir mal ! Il fallait continuer à tout prix. Une fois en bas de la pente, Toklo entraîna de nouveau Petit-Grizzli dans l'eau. Ce n'était pas facile. Les galets roulaient sous leurs pattes ; le ruisseau voulait les attirer au fond. Mais tant qu'ils resteraient dans l'eau, les chiens ne pourraient pas suivre leur piste. Du moins, Toklo l'espérait...

Quand ils n'entendirent plus aucun aboiement, les deux fugitifs sortirent sur la berge, s'ébrouèrent et découvrirent qu'ils se trouvaient au fond d'une ravine coincée entre deux falaises. Petit-Grizzli haletait, son épaule saignait abondamment. Il devait se reposer.

Il y avait une petite grotte, au milieu d'une des falaises. Toklo aida son compagnon à y grimper en le poussant aux fesses pour l'empêcher de tomber.

La grotte était juste assez grande pour eux deux. Il y avait même du sable sur le sol ; ils pourraient dormir confortablement.

Petit-Grizzli fit quelques pas en titubant et s'effondra par terre en respirant très fort. Debout sur le seuil de la caverne, Toklo tendit l'oreille. Ni « bang ! », ni aboiement. Plus de danger... pour l'instant.

Il se tourna vers Petit-Grizzli et lança :

— Qu'est-ce que tu faisais sur le territoire des Peaux-lisses ? Tu sais bien qu'ils sont dangereux !

Petit-Grizzli enfouit la tête sous ses pattes sans répondre.

— On t'a coupé la langue ?

Petit-Grizzli s'allongea sur le flanc et ferma les yeux.

— Surtout ne me remercie pas, hein ! grogna Toklo. J'ai juste failli me faire écorcher vif en te sauvant la vie !

Et il sortit de la grotte en tapant des pattes.

Il grimpa au sommet de la falaise. Des buissons épineux et quelques pissenlits poussaient entre les rochers. Toklo mourait de faim ; il espérait trouver deux ou trois racines. Ce n'était pas encore haut-soleil ; s'il dénichait quelque chose à se mettre sous la dent, il atteindrait peut-être la montagne en forme de museau d'ours avant la nuit.

Tout à coup, il sentit une odeur de lapin. Il remonta la piste à travers un enchevêtrement de branches mortes et vit une boule de poils bruns filer dans les rochers. Toklo bondit. Ses griffes s'enfoncèrent dans la chair souple. Il mordit le cou du lapin et le secoua jusqu'à ce qu'il ne bouge plus. Hourra ! Il avait attrapé une proie ! Il avala une bouchée de viande, puis il songea à l'ourson blessé, là-bas, en train de se vider de son sang.

Toklo hésita. Il ne lui devait rien. En plus, on aurait dit que l'autre lui faisait la tête ! Mais Petit-Grizzli lui rappelait un peu Tobi. Et cette fois, il avait de la nourriture à partager.

Alors, il ramassa le lapin, redescendit dans la grotte et déposa la proie sous la truffe de Petit-Grizzli.

— Tiens, mange !

L'ourson lui tourna le dos sans dire un mot.

— T'en veux pas ? Tant pis pour toi !

Ce grizzli était pire que Tobi. Au moins, Tobi parlait, lui !

Toklo déchira un gros bout de viande et examina l'ourson blessé. Il était vraiment très maigre : on aurait pu compter ses côtes. Toklo poussa la moitié du lapin vers lui en grommelant :

— Si t'as faim, t'as qu'à te servir.

« Moi, je m'en vais ! » voulait-il ajouter. Seulement, il était épuisé, trempé et frigorifié. Il n'avait pas envie de chercher une autre tanière. Ici, il serait à l'abri du vent et du danger.

Il se roula en boule et ferma les paupières. Le contact des os saillants de Petit-Grizzli lui fit encore penser à Tobi. Quel idiot, ce Tobi ! Pourquoi avait-il fallu qu'il meure ? Toklo poussa un soupir. Il s'endormit le cœur gros.

Quand il se réveilla, il faisait encore nuit. Petit-Grizzli n'était plus là. Toklo se frotta les yeux… et se figea.

Un petit Peau-lisse était accroupi au fond de la grotte. Il fixait Toklo avec de grands yeux noirs.

Toklo se leva d'un bond et gronda :

— Qui t'es, toi ? Où est Petit-Grizzli ? Si tu l'as tué, je…

Le Peau-lisse se plaqua contre la paroi de pierre. Toklo aperçut des gouttes de sang entre les doigts crispés sur son épaule gauche. Le Peau-lisse leva sa drôle de patte marron clair sans griffes ni poils.

— N'aie pas peur, dit-il en langage ours. Je ne te veux aucun mal.

CHAPITRE 22

Kallik

Purnaq suivit les traces de la bête-feu blanche pendant toute la journée. Il ne s'arrêta qu'une seule fois pour boire et avaler quelques baies. Malgré ses pattes endolories, Kallik parvint à ne pas se laisser distancer. Quand la lune fut très haute dans le ciel, Purnaq s'installa enfin derrière un talus. Kallik se faufila sous un buisson sans feuilles et s'effondra sur le sol. Il était temps ! Elle n'aurait pas fait un pas de plus.

La petite ourse se réveilla à l'aube. Elle sortit de sous le buisson et s'immobilisa : Purnaq était parti ! Il avait dû détecter son odeur et s'éclipser en douce !

Paniquée, Kallik se tourna à gauche, à droite : personne. Comment allait-elle trouver le territoire des Sans-griffes sans quelqu'un pour la guider ? Elle alla renifler le talus où Purnaq avait passé la nuit. Peut-être arriverait-elle à le suivre à la trace ? L'herbe était encore tiède ; l'ours n'était pas parti depuis long-temps, elle pouvait encore le rattraper.

L'odeur de Purnaq menait vers la colline. Kallik la gravit au pas de course et s'arrêta net en hoquetant de stupeur.

Des tanières ! Des dizaines et des dizaines de tanières de Sans-griffes, qui s'étendaient à perte de vue. Des tanières avec de toutes petites lumières rondes, pareilles à des soleils minuscules, et avec des toits qui crachaient de la fumée. Elles étaient surveillées par des bêtes-feux immobiles, qui luisaient dans la clarté de l'aurore.

Kallik pensa tout de suite aux bâtons-qui-tuent-de-loin. Cela lui faisait très peur, mais la bonne odeur qui s'échappait des tanières la faisait saliver. Ça sentait la nourriture chaude, et... la *viande*. La petite ourse en avait presque oublié le goût. Depuis des jours, elle ne mangeait que de l'herbe. Ses forces commençaient à décliner. Elle avait le vertige, les pattes toutes molles, et l'impression que son estomac se craquelait comme un bloc de glace.

Toujours aucune trace des autres ours. Kallik descendit la colline et s'avança sur le sentier de pierre grise qui bordait le territoire des Sans-griffes. Soudain, bang ! bang ! bang ! plusieurs claquements secs retentirent. Kallik se figea. Les bâtons-qui-tuent ! Le cœur tambourinant, elle ferma les yeux et murmura :

— S'il vous plaît, Esprits des glaces, faites que les bâtons ne me tuent pas !

Un long moment passa. Rien. Peut-être que les bâtons-qui-tuent tuaient sans douleur ? Kallik se reni-fla, à la recherche de traces de sang. Comme elle n'en trouva pas, elle regarda autour d'elle. Personne. Elle fit quelques pas, et...

Bang ! Bang ! Bang !

Elle sursauta. Toujours rien. Elle lâcha un soupir de soulagement. Les bâtons des Sans-griffes faisaient beaucoup de bruit, mais ils ne tuaient pas, en fin de compte ! Peut-être que les Sans-griffes aimaient le bruit. C'était sans doute pour ça qu'ils voyageaient dans des bêtes-feux rugissantes. Ou peut-être qu'ils se servaient de leurs bâtons pour faire fuir les animaux...

« Ben, moi, j'ai pas peur », se dit Kallik. Et puis, elle avait trop faim pour reculer.

Elle s'élança sur le sentier gris qui écorchait les pattes. Tout à coup, elle entendit un vacarme épouvantable. Cela provenait de l'intérieur d'une tanière. Effrayée, Kallik alla se cacher sous un buisson. Un Sans-griffes sortit de la tanière et monta dans la bête-feu assise à côté. La bête-feu poussa un grondement, recula le long d'un chemin blanc, fit demi-tour et s'éloigna à toute vitesse.

Peu à peu, d'autres Sans-griffes sortirent de leur tanière et allèrent réveiller leurs bêtes-feux. Parfois, des animaux les accompagnaient – des animaux qui ressemblaient à des loups et qui aboyaient comme pour dire aux Sans-griffes : « Attention ! Il y a une oursonne cachée dans les fourrés ! »

Kallik longea le sentier gris en restant derrière les buissons. Plus loin, un petit chemin partait vers la gauche et menait à une clairière de pierre. Plusieurs bêtes-feux dormaient dessus. À côté de la clairière, il y avait une très grande tanière. Et à côté de la tanière, trois grosses boîtes en métal, deux fois plus grandes que Kallik, qui débordaient de nourriture moisie.

L'oursonne se glissa entre les boîtes et le mur de la tanière et s'allongea sur le sol. Il faisait sombre, ici. Personne ne la verrait. Et avec l'odeur de la nourriture les bêtes-feux ne la sentiraient peut-être pas.

Kallik resta là toute la journée. De temps en temps, elle s'assoupissait, mais chaque fois, un bruit la réveillait en sursaut. À deux reprises, un Sans-griffes sortit de la tanière et vint jeter quelque chose dans la boîte. Bang-badabang ! faisaient les objets contre les parois métalliques. Vrroummm ! faisaient les bêtes-feux en déboulant dans la clairière en pierre et en lâchant des Sans-griffes pressés.

Kallik rêva de phoques bien dodus à la chair grasse et aux os croquants. Lorsqu'elle voulut en mordre un bout, le phoque glissa sur la glace. Elle se jeta sur lui, mais elle se cogna la truffe contre la boîte. Le contact du métal froid la réveilla. Snif ! Snif ! Une odeur de nourriture en train de frire ! L'estomac de Kallik gargouilla.

Prudemment, elle sortit de sa cachette et remonta la piste de la nourriture. Elle longea les murs de la tanière en prenant soin de rester dans l'ombre. Ce n'était pas facile, avec tous ces soleils orange qui brillaient en haut des arbres gris sans feuilles alignés le long des sentiers.

En atteignant la tanière d'où s'échappait l'odeur, elle détecta la présence d'un ours. Elle se précipita derrière une boîte. L'ours – une femelle au corps maigre et à la fourrure tachée de boue – entra dans la tanière. Kallik plissa la truffe : cette ourse n'avait pas le droit de lui prendre sa nourriture ! Elle l'avait sentie la première !

Elle passa le museau dans l'ouverture et jeta un coup d'œil à l'intérieur de la tanière. La pièce, longue et étroite, était remplie de nourriture. Dressée sur ses pattes arrière, l'ourse tentait d'intimider un Sans-griffes en rugissant. Le Sans-griffes lui lança quelque chose, mais la manqua. D'autres Sans-griffes accoururent en criant.

Kallik n'entendait que les grondements de son estomac. Sur une petite corniche fixée au mur, il y avait un gros morceau de viande rouge sang. L'oursonne se mit debout, planta les dents dans la viande, la fit tomber par terre et se mit à la dévorer. Kallik était seule au monde. Seule avec cette viande tiède, savoureuse, riche et fondante.

Bang !

Le claquement déchira l'air. L'ourse s'effondra à terre. Un sang chaud et poisseux coula entre ses griffes. Elle repensa à la glace colorée en rose. Elle leva la tête... et crut que son cœur allait s'arrêter.

Un Sans-griffes pointait sur elle un bâton-qui-tue.

CHAPITRE 23

LUSA

L usa sauta sur le sentier de pierre qui s'étendait de l'autre côté de la Grande Barrière et renifla l'air. Où aller ? À gauche ? À droite ? Tout droit ?

Soudain, il y eut un grondement sourd. Le sol trembla. L'oursonne dressa l'oreille. Le grondement se rapprochait. Encore... encore... Et tout à coup, deux énormes yeux brillants surgirent des ténèbres. Une créature passa tout près d'elle en crachant un gros nuage de fumée. Lusa fit un bond en arrière, s'aplatit sur le sol et enfouit le museau sous ses pattes. La créature allait la manger toute crue ! Lusa attendit pendant plusieurs minutes, le cœur battant... Rien. Alors, elle comprit que cette créature était une très, très grosse bête-feu.

L'oursonne eut une idée horrible : et si le dehors appartenait aux bêtes-feux ? Il ne fallait surtout pas les mettre en colère ! Sinon, elles la tueraient d'un seul coup de tête.

Elle traversa le sentier en courant et s'élança sur la pelouse. Au contact des brins d'herbe, elle se sentit un peu mieux. Elle regarda autour d'elle : des globes-feux plantés le long des sentiers dessinaient des ronds de lumière sur le sol. Lusa devait s'en éloigner : si les Museaux-plats la retrouvaient, ils la piqueraient avec le bâton-qui-endort et la ramèneraient au Creux des ours. Et elle ne pourrait plus s'échapper.

Elle aperçut un autre sentier, qui courait entre la Barrière et une rangée de tanières, et décida de le suivre.

Soudain, elle entendit des voix. Des Museaux-plats venaient vers elle ! Elle se retourna d'un bloc, escalada une clôture en bois, sauta de l'autre côté et regarda autour d'elle : elle se trouvait dans un enclos ! Elle traversa la pelouse en courant et sauta par-dessus une autre clôture... pour se retrouver dans un autre enclos.

La petite ourse commençait à perdre espoir. N'y avait-il que des barrières ? Que des cages et des enclos, jusqu'au bout du monde ?

Tout à coup, un crissement retentit. Lusa fit volte-face. Accroupi devant la porte d'une tanière de Museaux-plats, un animal l'observait en sifflant, le dos rond, les babines retroussées et la queue levée. Ses poils orange étaient tout hérissés.

Intriguée, Lusa examina la créature. Elle ne lui faisait pas peur : elle était quatre fois plus petite qu'elle. Lusa la trouva très courageuse de la défier ainsi.

Dans l'enclos suivant, une autre créature se jeta sur Lusa en poussant des aboiements féroces, les babines retroussées. Paralysée par la peur, Lusa le regarda approcher. Brusquement, l'animal s'arrêta avec un jappement de surprise. Il était attaché à une longue chaîne. Il se mit à tirer violemment dessus en agitant les pattes vers Lusa.

— Waf ! Waf ! Grrr ! Waf !

Lusa se mit debout et gronda :

— Tais-toi, sinon je me fâche !

Il y avait peu de chances que l'animal lui obéisse : d'abord, elle et lui ne parlaient pas la même langue, ensuite, il était chez lui. Pourtant, à sa grande surprise, il ferma la gueule, se coucha par terre et plaqua les oreilles sur son crâne. Lusa passa devant lui – pas trop près – et escalada une autre barrière.

Dans l'enclos suivant, il y avait un petit lac au milieu de la pelouse. Lusa s'en approcha à pas de loup. Oka avait parlé de lacs, mais Lusa les imaginait plus grands. Et puis, elle s'aperçut que le fond du lac n'était pas en terre, mais en pierre blanche, exactement comme la tanière du Creux.

La petite ourse renifla l'eau. Elle sentait très fort. Elle en lapa un peu et la recracha aussitôt. Berk ! Cette mare n'était pas un vrai lac. En plus, Oka avait parlé de « trois lacs au bord d'une forêt morte ». Et ici, il n'y en avait qu'un, et tous les arbres étaient en vie.

Il n'y avait plus de barrière au bout de l'enclos. Juste un espace immense, avec un sentier qui disparaissait dans le lointain. Lusa leva les yeux vers le ciel... et elle la vit.

La montagne en forme de museau d'ours.

Elle se dressait droit devant, énorme et majestueuse dans le ciel orangé. Lusa sentit son cœur devenir tout léger : elle paraissait tellement proche ! Et la Gardienne était là, juste au-dessus de son pic enneigé. Elle semblait l'attendre, et lui montrer le chemin.

Toute la nuit, Lusa courut vers la montagne. Chaque fois qu'elle croisait une bête-feu ou un Museau-plat, elle se cachait dans l'ombre. Seulement, quand le soleil se leva, la montagne était toujours aussi loin. Épuisée, la petite ourse décida d'aller dormir à l'abri d'un bosquet, non loin d'une tanière de Museaux-plats. Elle traversa une étendue de mauvaises herbes et pénétra dans les fourrés. Les buissons formaient un cercle ; elle pourrait dormir au milieu sans craindre de se faire repérer. Elle creusa un peu le sol pour rendre l'abri plus confortable, posa le museau sur ses pattes et sombra dans le sommeil.

Elle fut réveillée par un bruit caverneux peu de temps après la tombée de la nuit. Au bout d'un moment, elle comprit que c'était son estomac. Lusa n'avait jamais eu aussi faim ! Elle se leva et risqua un coup d'œil par-dessus les buissons. Personne. Comme une odeur très alléchante s'échappait de la tanière des Museaux-plats, elle décida d'aller voir.

Deux grands récipients argentés étaient posés au pied du mur. Ils ressemblaient aux seaux d'eau que les soigneurs apportaient au Creux des ours. Lusa s'en approcha sur la pointe des griffes, posa les pattes avant sur le bord de l'un d'eux et fourra le museau à l'intérieur. Un parfum délicieux lui chatouilla les narines.

Elle commença à farfouiller dans le seau. Des choses froissées... Des choses qui coupent... Des choses toutes douces... Un morceau de viande ! Il avait un goût de moisi, mais Lusa le mangea quand même. Apercevant un bout de banane pourrie et quelques quignons de pain tout au fond, elle plongea les pattes dedans. Le seau se renversa avec un fracas épouvantable. Aussitôt, une lumière s'alluma et un rugissement furibond s'éleva à l'intérieur de la tanière.

Lusa s'enfuit vers la barrière, l'escalada en trois bonds et s'élança sur le sentier. Elle ne s'arrêta de courir que lorsque le danger fut très loin derrière elle.

La petite ourse finit par remarquer qu'il y avait des seaux argentés près de toutes les tanières. Et que lorsqu'il n'y avait pas de bêtes-feux, il n'y avait pas de Museaux-plats. Comme, par exemple, dans celle-ci. Lusa s'approcha sans bruit et mit la tête dans le seau. D'un coup de griffes, elle déchira la peau blanche toute fine qui enfermait la nourriture des Museaux-plats. Les choses froissées, brillantes et ratatinées s'éparpillèrent au fond du seau. Elle se pencha dedans, les fesses pointées vers le ciel, les pattes arrière remuant dans le vide.

Et badabang ! le seau tomba, et son contenu se renversa sur le sol de pierre.

Terrifiée, Lusa courut se réfugier au sommet d'un arbre, et, le cœur tambourinant, elle attendit.

Rien. Alors, elle descendit et alla fouiller dans le petit tas. Elle goûta une chose noire, qu'elle recracha aussitôt. Infect ! Elle se frotta la langue avec la patte. Et puis, elle trouva des bouts de pomme de terre croquants qui sentaient bon la graisse. Elle les avala et lécha le sel collé sur ses coussinets. Lusa n'avait jamais rien mangé d'aussi bon.

Le lendemain, elle resta cachée dans un bois envahi de buissons touffus, à observer les petits Museaux-plats qui jouaient à proximité. Elle se remit en route à la tombée de la nuit en contournant des tanières pour éviter les animaux-qui-aboient et les animaux-qui-sifflent et en se dirigeant toujours vers la montagne.

L'oursonne ne comprenait pas pourquoi King n'aimait pas parler du dehors. Ça n'avait rien d'effrayant ! Il suffisait de trouver un abri et de quoi manger, tout en se laissant guider par la Gardienne.

Mais la troisième nuit, Lusa se réveilla en plein brouillard. Les nuages bas dissimulaient la montagne et les étoiles. L'air, chargé d'humidité, déposait des gouttelettes sur sa fourrure et sur sa truffe. Lusa ne voyait même plus ses pattes. Elle mourait de faim, mais, sans la Gardienne, elle avait trop peur de se perdre. Alors, elle creusa un trou sous les racines d'un arbre et attendit que le brouillard se dissipe.

Au matin, il se transforma en pluie. Trempée, glacée, énervée, Lusa dut prendre son mal en patience. Au crépuscule, la pluie s'arrêta. Quelques écharpes de brume s'enroulaient autour des arbres, mais on voyait de nouveau la montagne, qui se découpait sur le ciel sombre.

Alors, Lusa se remit en route. Elle parvint au bord d'un sentier immense qui empestait les bêtes-feux. L'une d'elles passa en rugissant. Lusa se réfugia dans les taillis avant de longer le sentier.

Plus les heures passaient, moins il y avait de bêtes-feux. Chaque fois qu'elle en croisait une, la petite ourse bondissait derrière un buisson. Heureusement, les monstres couraient trop vite pour la voir.

Aux alentours de haute-lune, les nuages se déchirèrent telle une toile d'araignée soufflée par le vent. À cet instant, Lusa renifla une odeur de nourriture. Elle se dressa sur ses pattes arrière. Ça venait du sentier ! Elle galopa en direction de l'odeur alléchante et se figea.

Une forme sombre, là, en plein milieu du sentier de pierre. Et qui sentait exactement comme les pommes de terre salées.

Oui, mais pour aller la chercher, il fallait s'y aventurer. Lusa ne voyait plus de bêtes-feux depuis un moment. Peut-être étaient-elles allées dormir ?

Elle posa une patte sur le sentier. Les muscles tendus à craquer, elle attendit. Rien. Rien que le silence et le vent léger qui jouait avec les écharpes de brume. Lusa fit un deuxième pas. Puis un troisième. Puis elle se mit à courir. Elle avait flairé juste : au fond du carton écrasé, il y avait des morceaux de pommes de terre salées. Elle plongea la tête dans le carton et entreprit de lécher le sel collé aux parois.

TÛÛÛÛÛÛÛÛÛÛÛÛÛÛÛÛÛÛÛÛÛÛT !!!

Surprise, Lusa fit un bond.

Une bête-feu énorme fondait droit sur elle ! Ses yeux lançaient des éclairs de fureur. L'oursonne fonça de l'autre côté, évitant le monstre de justesse. Alors qu'elle cavalait dans l'herbe, quelque chose se planta entre ses coussinets. Elle rampa sous un buisson pour examiner sa patte : une grosse épine brillante était plantée dedans. Lusa cligna des yeux ; elle avait très envie de vomir, tout à coup. Cette épine ressemblait aux objets qu'elle avait vus dans les tanières des Museaux-plats. Et ça faisait très, très, très mal.

Surtout, ne pas paniquer. Qu'aurait fait King à sa place ? Qu'aurait fait Oka ? Ils se seraient soignés et auraient poursuivi leur chemin. Parce qu'ils étaient courageux.

Lusa attrapa l'épine avec ses dents et tira d'un coup sec. Le sang jaillit. L'oursonne vacilla, serra les mâchoires. Ensuite elle se lécha la patte, et le flot de sang s'arrêta. Lusa avait un peu moins mal, mais lorsqu'elle se releva, la douleur revint. Il allait falloir trouver un abri et attendre que cette blessure guérisse.

Elle boitilla vers une étendue d'herbes hautes qui la dissimulaient aux regards. Plus loin, trois arbres poussaient près d'une barrière. L'oursonne se pelotonna entre leurs racines et se remit à se lécher la patte.

Elle resta dans sa cachette pendant trois jours, à écouter les bêtes-feux rugir sur le sentier de pierre. Elle craignait de les avoir mises en colère en volant leur manger. Elle espérait qu'elles n'essaieraient pas de la retrouver.

Heureusement, il n'y avait pas beaucoup de Museaux-plats dans le coin. Seuls quelques animaux-qui-sifflent s'aventurèrent près des arbres, mais ils firent demi-tour dès qu'ils sentirent son odeur. Lusa avait mal. Et faim. Elle commençait à perdre espoir. Tout allait de travers ! Comment allait-elle atteindre la montagne avec une patte blessée ? Comment allait-elle trouver Toklo ? Pendant trois nuits, elle pria la Gardienne, dont la présence la rassurait.

Mais lorsque Lusa décida de se remettre en route, il y avait trop de nuages et plus une étoile dans le ciel. La petite ourse s'assit et leva les yeux vers l'endroit où elle avait vu la Gardienne la veille. Elle la devinait, brillant derrière les nuages pour lui montrer le chemin. C'était comme si un fil invisible accroché à sa fourrure la tirait vers la montagne. L'espace d'un battement de cœur, les nuages s'écartèrent. L'étoile apparut, scintillant d'un vif éclat dans le ciel bleu marine. Et même si les nuages la ravalèrent aussitôt, Lusa avait repris courage.

En douceur, elle se leva, posa la patte par terre et fit quelques pas. Elle avait encore mal, mais elle pourrait avancer, tout doucement. Elle escalada la barrière et repartit vers la montagne. Bientôt, une petite pluie se mit à tomber. Un parfum de propre et de frais emplit l'air.

Il y avait de moins en moins de tanières et de bêtes-feux. Lusa appréciait le silence, mais le fait de s'éloigner des tanières l'inquiétait : comment allait-elle trouver à manger sans les seaux pleins de bonnes choses ?

À l'aube, il se mit à pleuvoir plus fort.

— Atchoum ! fit Lusa.

La petite ourse était trempée jusqu'aux os. Elle n'avait rien avalé depuis les pommes de terre salées des bêtes-feux. La fatigue et la faim la faisaient tituber. Elle aperçut une tanière de Museaux-plats entourée d'une grande clôture en bois, qui semblait vide. Pas un bruit, pas de lumières aux fenêtres. Tout plein d'arbres derrière, où Lusa pourrait se cacher en cas de danger. Elle décida de tenter sa chance.

Elle trouva un seau argenté à l'arrière de la tanière, mais on avait fixé un couvercle dessus. L'oursonne glissa les griffes sous le couvercle et poussa fort. Il tomba avec un grand bruit métallique. Elle se figea, effrayée, mais dans la tanière rien ne bougea. Les Museaux-plats étaient peut-être partis chasser ? Lusa plongea la tête dans le seau et en sortit un petit sac, qu'elle déchira d'un coup de griffes. Pendant qu'elle reniflait son contenu répandu sur le sol, un cliquetis la fit sursauter. Lusa se retourna d'un bloc : depuis les marches menant à la tanière, un petit Museau-plat la regardait. Il ressemblait à ceux qui venaient la voir au Creux des ours. Alors, Lusa eut une idée : si elle dansait pour ce Museau-plat, peut-être qu'il lui lancerait des fruits ? Une poire ou une poignée de bonnes myrtilles juteuses… L'oursonne se dressa sur ses pattes arrière, fouetta l'air avec ses pattes avant… Le Museau-plat hurla.

Lusa s'attendait à tout, sauf à ça. Elle tomba à la renverse. La porte de la tanière s'ouvrit à la volée, et l'oursonne vit, pétrifiée, un grand Museau-plat se ruer vers elle en criant et en braquant sur elle un long bâton métallique, qui ressemblait à celui avec lequel le soigneur à la fourrure verte avait endormi sa mère.

Debout ! Vite ! Faire demi-tour ! Foncer vers la clôture. Sauter, planter les griffes dans le bois et grimper, grimper, pour échapper au Museau-plat. Et tout à coup : BANG ! il y eut un claquement terrifiant. Juste à côté d'elle, la clôture explosa. Des petits bouts de bois volèrent dans les airs.

Terrorisée, Lusa perdit l'équilibre et chuta de l'autre côté. Ses poumons se vidèrent sous le choc. Elle se releva et repartit vers le bosquet en clopinant. Elle n'avait pas bien compris ce qui venait de se passer, mais une chose était sûre : si le bâton l'avait touchée, c'est *elle* qui aurait explosé.

Elle alla se blottir entre deux arbres. Elle crut qu'elle ne s'arrêterait jamais de trembler. King avait raison : elle aurait dû rester au Creux des ours. Mais maintenant, c'était trop tard. Il fallait se remettre en route !

Le vrai danger, c'étaient les Museaux-plats. Lusa serait bien plus en sécurité dans la forêt.

Elle dormit toute la journée. Quand le soleil se fut couché, elle dut se forcer à quitter sa cachette. Elle passa devant une autre tanière, qu'elle contourna avec prudence. Le bâton-qui-explose lui avait fait trop peur. Tant pis, elle chercherait à manger dans la forêt.

Lusa leva la tête, et elle en eut le souffle coupé : toutes ces étoiles qui brillaient dans le ciel ! Il n'y en avait pas autant, au Creux des ours, sûrement à cause des lumières orange qui les empêchaient de scintiller… Ici, dans la nuit noire, les étoiles resplendissaient.

Il y en avait des milliers. Lusa reconnut la petite ourse noire, et le gros grizzli qui lui courait après. La petite ourse noire portait la Gardienne sur sa queue. Lusa la trouvait très courageuse. Elle devait suivre son exemple.

Lusa s'élança vers la montagne. Elle traversa des étendues d'herbe rase, des bosquets touffus, passa devant quelques tanières isolées, et courut sans s'arrêter, jusqu'à ce que le soleil fasse couler ses rayons d'or pâle par-dessus l'horizon.

Enfin, au détour d'un sentier de pierre, une pente gigantesque recouverte de forêts apparut devant elle. Des arbres immenses touchaient le ciel, dix fois plus gros que ceux du Creux. Les esprits des ours habitaient ici – Lusa le sentait. Elle entendait leurs murmures dans le vent qui faisait bruire les feuilles.

— C'est moi, Lusa, leur dit-elle. Je vous ai enfin trouvés !

CHAPITRE 24

Toklo

Toklo ouvrait de grands yeux, effaré : un Peau-lisse qui parlait le langage ours !

— Je ne te veux aucun mal, répéta l'inconnu. Ne pars pas, j'ai besoin de ton aide.

Ses grognements se répercutaient sur les parois de la grotte.

— Où est Petit-Grizzli ? redemanda Toklo.

— Devant toi, répondit le Peau-lisse. Je... je me suis transformé pendant la nuit.

Il pressa la patte sur son épaule.

— Il faudrait que tu ailles me chercher une plante.

Le Peau-lisse était tout pâle. Il tremblait comme une feuille. Son souffle était saccadé, et sa voix, étouffée. Toklo crut qu'il allait s'évanouir.

— Une plante ? gronda-t-il. Pour quoi faire ?

Un ours qui se transforme en Peau-lisse ! Et puis

quoi encore ? Seulement, le petit Peau-lisse était blessé. Comme Petit-Grizzli. Bizarre...

— Pour me soigner, expliqua le Peau-lisse. C'est une plante avec une grande tige, des fleurs jaune vif et de longues feuilles pointues vert foncé.

Il grimaça de douleur.

— Je t'en supplie ; apporte-la-moi ! Sinon, je vais mourir.

Toklo sortit de la grotte sans dire un mot. Il n'avait pas envie d'aller chercher cette plante, mais il n'aimait pas l'odeur du Peau-lisse. Elle lui rappelait Tobi quand il était malade. Il ne voulait pas voir mourir ce Peau-lisse. S'il lui donnait sa plante, il guérirait, et Toklo pourrait s'en aller. Et puis, si l'autre l'embêtait, il le mangerait, un point c'est tout. Toklo ignorait si on avait le droit de manger les Peaux-lisses : sa mère ne lui en avait jamais parlé. Mais Oka n'était plus là pour lui interdire quoi que ce soit.

Il remonta au sommet de la falaise. Pas de trace de Petit-Grizzli. Ni empreintes ni odeur. Il s'était volatilisé.

Une fois dans la prairie, Toklo s'arrêta derrière un amas de rochers et flaira l'air. Pas de bang-bang ! Juste le bourdonnement des insectes et le bruit lointain des bêtes-feux. La voie était libre. Au bord de la rivière, il découvrit un bouquet de plantes aux fleurs jaunes et aux feuilles vert foncé. Il en cueillit deux. Il se retint de croquer quelques bulbes ; il y avait plus urgent.

Il coinça les fleurs entre ses dents et retourna dans la grotte. Les tiges avaient un goût amer ; Toklo essaya de ne pas avaler le jus.

Le Peau-lisse était recroquevillé sur le sol. Il avait les yeux fermés, il respirait vite. Son ventre se soulevait en un rythme saccadé. Comme Tobi, quand il était en train de mourir.

Toklo déposa les fleurs devant lui.

— C'est ça que tu voulais ?

Le Peau-lisse ouvrit les yeux et fit oui de la tête. Ensuite, il prit une fleur dans sa toute petite patte sans griffes et entreprit d'arracher les feuilles. Toklo observa la patte du Peau-lisse : elle était marron clair dessus et rose dedans, avec cinq griffes molles qui pouvaient attraper les objets. L'ourson la compara avec sa propre patte, grosse, plate et pourvue de longues griffes droites. Toklo préférait ses pattes à lui. Elles étaient plus pratiques pour découper la viande et déterrer les racines.

— Comment tu t'appelles ? demanda le Peau-lisse en froissant les feuilles.

— Toklo.

— Moi, c'est Ujurak.

Il mâchonna les feuilles et recracha une espèce de bouillie verte, qu'il étala sur sa blessure. Toklo plissa la truffe avec dégoût.

Ujurak lui tendit un peu de la mixture.

— Mets ça sur ton museau : il guérira plus vite.

— Pas besoin ! grogna Toklo.

— Fais-moi confiance, rétorqua le Peau-lisse.

Et il badigeonna le museau de Toklo avec cette chose immonde. L'ourson sentit sa peau picoter et devenir toute froide. Très vite, la douleur s'atténua. Il s'assit pour laisser Ujurak finir de le soigner. Puis, le Peau-lisse retourna au fond de la caverne, s'installa le dos au mur et ferma les yeux. Dix secondes plus tard, il dormait.

Bon. Ujurak n'allait plus mourir ; Toklo pouvait s'en aller. Il sortit de la grotte à pas feutrés et remonta pour la troisième fois au sommet de la falaise. Direction : la rivière. Il espérait attraper du poisson. La plante à fleurs jaunes lui avait laissé un goût amer sur la langue.

Il se campa dans l'eau et se mit à observer les ombres argentées qui se faufilaient entre ses pattes. Il fallait attendre le bon moment. Ne pas se précipiter, suivre le poisson des yeux, prévoir sa trajectoire... et bondir.

Voilà ! Toklo plongea la tête dans l'eau, planta les crocs dans les écailles scintillantes, et ressortit, triomphant, avec un saumon dans la gueule. Il secoua la tête jusqu'à ce que le poisson ne bouge plus. Toklo était fou de joie : il avait attrapé son premier saumon !

Il retourna sur la rive, posa sa proie sur les galets, lui écrasa la tête avec une patte et mordit dans la chair. C'était délicieux, encore meilleur que le poisson qu'il avait volé à Fochik et Aylen.

Un bruit dans son dos lui fit dresser l'oreille. Quelqu'un approchait ! Toklo se mit à grogner : pas question qu'on lui vole sa proie ! Il vit les taillis remuer, entendit les branches craquer... et Petit-Grizzli s'avança sur la berge.

— Merci pour les plantes, dit-il.

— Le Peau-lisse t'a soigné, toi aussi ? demanda Toklo en remarquant une tache verte sur son épaule.

— Non, le Peau-lisse, c'était moi, Ujurak.

— T... toi ? Mais t'es pas un Peau-lisse, t'es un ours !

— Je sais, fit le grizzli en secouant la tête. Parfois, je suis un humain, et parfois je suis un ours.

Il laissa retomber la tête sur sa poitrine, l'air embêté. Toklo l'examina, un peu inquiet. Un ours qui se transformait en Peau-lisse ? N'importe quoi ! Petit-Grizzli mentait, à coup sûr ! Il avait dû rencontrer Ujurak, qui lui avait étalé de la bouillie verte sur sa blessure. Pourtant, plusieurs détails clochaient : d'abord, Petit-Grizzli et le Peau-lisse étaient blessés *exactement* au même endroit. Ensuite, ils avaient les mêmes yeux marron, et le même regard franc et sincère. Un regard qui donnait envie de partager sa nourriture.

Alors, Toklo donna la moitié du saumon à Ujurak et engloutit la sienne en quelques bouchées. Un poisson contre de la bouillie verte : les deux oursons étaient quittes. Toklo se leva et commença de s'éloigner.

— Où tu vas ? demanda Petit-Grizzli.

— Là où personne ne viendra m'embêter, grogna Toklo.

Et là où il serait tout seul, comme l'étoile-qui-brille-toujours-plus-que-les-autres.

— Moi aussi ! s'exclama Ujurak.

« Allons bon ! Il ne manquait plus que ça. »

— Mais je suis un peu perdu, ajouta Petit-Grizzli. Tout ce que je sais, c'est qu'il faut que je suive le chemin de feu dans le ciel.

Toklo pencha la tête sur le côté. Ce grizzli avait des abeilles dans le crâne !

— Euh... eh bien, bonne chance, grommela-t-il.

— Et si on voyageait ensemble ? On pourrait s'entraider !

Toklo regarda Ujurak-Petit-Grizzli. Avec son corps maigre et ses pattes toutes fines, il n'avait pas dû escalader beaucoup de rochers, ni traverser beaucoup de champs de neige. L'image de Tobi en train de chanceler dansa devant ses yeux. Seul, Ujurak ne survivrait pas. Oui, mais si Toklo acceptait qu'il l'accompagne, il devrait s'occuper de lui, et cela le ralentirait. Surtout si l'autre se transformait en Peau-lisse toutes les nuits.

— T'as pas une maman ? demanda-t-il.

Ujurak haussa les épaules.

— Je voyage seul depuis très longtemps. S'il te plaît, aide-moi à trouver mon chemin.

Toklo pensa à Tobi, recouvert de feuilles et de terre, et à sa mère, que le chagrin avait plongée dans la folie. Sa mère, qui ne l'aimait pas assez et qui l'avait abandonné. Il ne pouvait pas faire la même chose à Ujurak. Alors, il bougonna :

— D'accord, tu peux venir. Mais, je te préviens, pas question de suivre un chemin de feu dans le ciel !

« Parce que moi, je vais à la rivière », précisa-t-il pour lui-même.

Ujurak se leva d'un bond et s'exclama :

— Génial ! En route !

Et il partit en soulevant une gerbe de gravillons, que Toklo reçut en pleine truffe.

Il se frotta le museau en soupirant : dans quoi s'était-il embarqué ?

CHAPITRE 25

Kallik

L e Sans-griffes cria quelque chose dans sa langue. Un autre Sans-griffes s'avança vers Kallik et lui piqua le flanc avec son bâton. L'ourse sauta en arrière en jappant et se frotta les côtes. Pfff ! C'était une petite piqûre de rien du tout ! L'ourse de la plage avait exagéré : les bâtons des Sans-griffes n'étaient pas si terribles.

Kallik fit un pas en arrière… puis sa vue se brouilla. La terre tourna, tangua et se mit à fondre comme la banquise à l'approche de Brûleciel. L'oursonne sentit ses paupières s'alourdir… Elle cligna des yeux, secoua la tête : elle ne voulait pas mourir ici, loin de son pays de glace !

Elle tenta de lutter contre le sommeil, mais son corps devint tout mou. Elle glissa sur le sol, ses yeux se fermèrent, et elle sombra dans les ténèbres.

Du blanc. Du blanc partout. Un blanc dur, froid, aveuglant. Kallik se frotta les yeux et huma l'air : il y avait d'autres ours avec elle ; elle sentait leur odeur. Elle s'assit, luttant contre le vertige, et s'ébroua pour faire taire le bourdonnement dans ses oreilles. Elle entendit des pleurs, des cris de terreur et des appels à l'aide.

Et puis, il y avait ce bruit, incessant, comme si on frappait contre du métal. Et cette odeur piquante, qui lui agaçait les narines et la faisait larmoyer... La petite ourse renifla : cette odeur venait d'elle ! On l'avait badigeonnée de la tête aux pattes avec quelque chose de collant. En plus, elle avait la gueule pâteuse et un goût bizarre sur la langue...

« Où suis-je ? »

Elle se leva en titubant, fit un pas en avant et regarda autour d'elle. De tous les côtés, il y avait de fines colonnes grises qui ressemblaient à des branches d'arbres droites et lisses. On l'avait emprisonnée ! D'autres ours polaires étaient enfermés entre les mêmes colonnes. Des Sans-griffes se promenaient au milieu de ces prisons. Certains avaient un long bâton à la main, mais comme ils ne faisaient pas attention à elle, la petite ourse continua d'examiner les lieux. De l'autre côté des barreaux, un vieux mâle hurlait :

— On va tous mourir ! La glace ne se reformera jamais !

Apeurée, Kallik protesta :

— C'est pas vrai ! La glace se reforme toujours, c'est ma maman qui l'a dit !

Sa voix se brisa. Le vieux mâle rugit de plus belle :

— On va tous mourir, et il ne restera plus un seul ours sur la Terre !

À ces mots, des murmures s'élevèrent parmi les ours. De légers chuchotis, aussi légers que la neige glissant sur la glace :

— Les Neiges éternelles...

— ... ne fondent jamais...

— ... il faut aller là-bas...

Kallik se gratta l'oreille : ces ours connaissaient-ils l'endroit où la glace ne fondait jamais ? Pleine d'espoir, elle s'écria :

— Vous voulez parler de l'endroit où les esprits des ours dansent dans le ciel et le peignent de mille couleurs ?

— C'est très loin..., répondit le murmure.

Kallik baissa la tête : ces ours étaient devenus fous à force d'être enfermés ! Ils parlaient tout seuls et ne comprenaient même pas sa question.

Tout à coup, clang ! il y eut un grand bruit métallique. Deux Sans-griffes, un mâle et une femelle, se dirigèrent vers elle. L'oursonne alla se recroqueviller au fond de sa prison. Les Sans-griffes approchaient. Encore... Encore... Au dernier moment, ils bifurquèrent vers le vieil ours et braquèrent sur lui un petit objet noir qui fit pchit ! Le vieil ours se tut d'un seul coup.

L'oursonne paniqua : les Sans-griffes l'avaient tué ! Le vieil ours avait raison : ils allaient tous mourir ! La terreur lui enserra la poitrine comme un étau glacé. Elle se jeta contre les barreaux en criant :

— Au secours, maman ! Je veux sortir d'ici !

Elle prit son élan et fonça sur les colonnes grises, deux fois, trois fois. Peut-être qu'elles finiraient par se briser. Peut-être qu'elles plieraient et que Kallik pourrait s'échapper. Peut-être que...

Quelques minutes plus tard, elle s'effondra sur le sol en haletant. Ces efforts l'avaient épuisée. Les barreaux n'avaient pas bougé d'un pouce.

Soudain, une voix cassante s'éleva sur sa gauche :

— Tu perds ton temps, petite. Garde tes forces pour plus tard.

Kallik se retourna et leva les yeux. Dans l'enclos voisin, il y avait une ourse qui semblait avoir le même âge que Nisa.

— Personne ne peut sortir de ces cages, poursuivit-elle d'un ton las. Des ours bien plus forts que toi ont essayé. Ils s'y sont cassé les dents.

Les *cages*. Ce mot déplut tout de suite à Kallik. Il lui faisait froid dans le dos.

— Je m'appelle Kallik, dit-elle. Et toi ?

— Nanuk, répondit la femelle après un long silence.

— Où on est ? voulut savoir l'oursonne.

— Dans une tanière de Sans-griffes. C'est là qu'ils enferment les ours qui s'aventurent sur leur territoire.

— Qu'est-ce qu'ils vont faire de nous ?

— Nous garder un peu et nous relâcher.

— Comment tu le sais ?

— Ce n'est pas la première fois qu'on me capture, annonça Nanuk. Reste tranquille, et il ne t'arrivera rien.

La petite ourse hésita. Puis elle lança :

— Je cherche mon frère. Il s'appelle Taqqiq. Il fait à peu près ma taille et marche comme ça.

Elle écarta les pattes.

— On a été séparés, lui et moi, quand maman est morte. Tu... tu ne l'aurais pas vu, par hasard ?

— Je n'ai vu aucun ourson à part toi, grommela Nanuk. Brûleciel est de plus en plus gourmand. Ton frère est sûrement mort.

— Non ! s'insurgea Kallik. Taqqiq est plus fort que moi ! Si j'ai survécu, alors lui aussi !

L'ourse blanche la considéra d'un air grave, puis elle se radoucit.

— J'espère que tu as raison...

Le bruit métallique retentit de nouveau, et les deux Sans-griffes réapparurent. Kallik retourna se blottir au fond de la cage. Les barreaux lui firent mal au dos : elle avait beaucoup maigri. Ses os saillaient sous sa fourrure sale.

Le mâle Sans-griffes ouvrit sa cage et se planta devant la porte. Affolée, Kallik s'exclama :

— Nanuk ! Qu'est-ce qu'ils vont me faire ?

— Du calme, répliqua la femelle. Ne bouge surtout pas.

Le Sans-griffes jeta quelque chose sur la tête de Kallik. C'était lisse et mou comme une peau de phoque, et ç'avait la couleur du ciel. Kallik tomba sous son poids. Elle sentit deux bras la saisir sous les pattes avant et la plaquer au sol. Elle se débattit en hurlant :

— LAISSEZ-MOI ! NANUK, AU SECOURS !

La femelle Sans-griffes lui frotta la fourrure avec la chose collante qui sentait très fort. Quelques gouttes tombèrent dans les yeux de l'oursonne, la faisant pleurer.

Enfin, les Sans-griffes la lâchèrent et ressortirent de la cage en emportant leur peau toute molle. La petite ourse s'aplatit sur le sol. Elle tremblait de la tête aux pattes. Elle empestait la chose-qui-colle, et ça lui donnait envie de vomir. Elle voulut s'essuyer le museau, mais elle en avait partout – y compris sur les coussinets.

— Calme-toi, chuchota Nanuk. Les Sans-griffes agissent souvent bizarrement, mais ils ne te feront pas de mal.

Kallik vit la femelle Sans-griffes abaisser un bâton qui sortait du mur. Aussitôt, les barreaux qui séparaient la cage de Nanuk de celle de Kallik disparurent dans le plafond. Nanuk ne ressemblait pas vraiment à Nisa, en fin de compte. Elle sentait la crasse et la faim, et sa fourrure avait l'air moins douce.

— Qu'est-ce qu'ils m'ont mis sur les poils ? gémit l'oursonne.

— Un produit pour masquer ton odeur et me faire croire que tu es ma fille, expliqua Nanuk sur un ton méprisant. Les Sans-griffes espèrent que je m'occuperai de toi quand ils nous auront relâchées. Quels idiots ! Si tu étais mon oursonne, je t'aurais reconnue !

— Ils sont où, tes oursons ? demanda Kallik.

Les yeux de Nanuk s'embuèrent. Ses épaules s'affaissèrent.

— Je n'ai pas envie d'en parler !

Et elle se mit à griffer le sol de la cage.

Nanuk faisait sa grincheuse, mais Kallik savait

qu'elle était triste. Elle s'avança doucement et tendit le museau vers elle, jusqu'à ce que leurs truffes se touchent. Kallik ferma les yeux. Le contact de la fourrure de Nanuk la rassura.

La femelle s'allongea sur le flanc et Kallik vint se blottir contre elle.

— Tu n'es pas mon oursonne, murmura Nanuk. Mais tu es tout ce qui me reste.

Ce soir-là, Kallik s'abandonna au sommeil le cœur léger. Pour la première fois depuis qu'elle avait perdu sa mère, elle sut qu'elle pouvait dormir tranquille.

LUSA

Des rayons dorés filtraient à travers le feuillage, dessinant des taches mouvantes sur le sol de la forêt. Une douce brise agitait la cime des arbres. Frouuu... frouuu... faisaient les feuilles. Un petit ruisseau coulait à travers le sous-bois. L'air sentait bon les baies sauvages.

Lusa marchait dans la forêt en respirant à pleins poumons. Ses pattes s'enfonçaient dans la terre humide. C'était un vrai délice, de sentir le soleil sur sa fourrure.

Tout en avançant, elle examinait les arbres. Des troncs larges et solides, des racines profondément enfoncées dans la terre, des branches s'élevant vers le ciel... Ils ne ressemblaient pas vraiment à des ours. Lusa commençait à se demander si Stella ne lui avait pas raconté des histoires.

Elle remarqua un arbre étrange, qui poussait dans

une clairière. Petit et trapu, il était couvert de magnifiques fleurs blanches. C'était comme si les étoiles s'étaient accrochées à ses branches.

« Quand je mourrai, j'aimerais devenir un arbre comme celui-là », songea l'oursonne.

Elle ne voulait pas nager dans une rivière, comme Oka et Tobi. Se changer en arbre fleuri, c'était beaucoup plus joli.

Elle posa les pattes avant sur le tronc et écarquilla les yeux. Il y avait des petits fruits rouges dans cet arbre. Lusa en croqua un. Le fruit avait une peau un peu acide mais son jus était sucré, et il était bien meilleur que la nourriture des Museaux-plats, meilleur même que les morceaux de pommes de terre salées.

Soudain, elle entendit des branches craquer derrière elle. En quelques bonds agiles Lusa fut sur la plus haute branche. Le cœur battant, elle se cacha derrière les fleurs blanches.

Un gros animal entra dans la clairière. Il avait quatre pattes, une fourrure brune tachetée, qui rappelait des cailloux au fond d'un ruisseau, et de grandes branches sur la tête. Il s'arrêta sous l'arbre, flaira l'air pendant quelques instants, puis s'éloigna d'un pas lent. Les pattes tremblantes, Lusa le suivit des yeux.

Pas très rassurée, elle décida de rester encore un peu dans l'arbre et de manger quelques fruits. Elle se sentait en sécurité, là-haut. Elle tendit la patte pour attraper une baie... et elle se figea.

Installé contre le tronc, un ours noir la regardait fixement. Lusa crut que son cœur allait s'arrêter. Pendant plusieurs secondes, personne ne bougea.

Puis l'oursonne écarta le feuillage et lâcha un rire gêné. Ce n'était pas un ours ! C'étaient des nœuds dans le bois. Avec les ombres des feuilles, Lusa y avait vu un visage. Elle approcha le museau du tronc et murmura :

— Bonjour ! Est-ce que tu es l'esprit d'un ours ?

Peut-être que Stella ne mentait pas, après tout. Cet esprit rassura Lusa. Avec lui, elle se sentait moins seule.

L'oursonne passa la matinée dans l'arbre, s'imprégnant de la chaleur du soleil et du parfum des fleurs. Ensuite, elle dit au revoir à l'esprit et repartit vers le ruisseau.

Celui-ci ne fut pas difficile à trouver : l'eau scintillait à travers les arbres et glougloutait sans cesse. Après toutes ces journées de marche, c'était un bonheur d'y plonger les pattes. Lusa aima d'emblée le contact des pierres lisses sous ses coussinets. Avec leur drôle de forme d'œuf, elles roulaient et glissaient sur le fond sablonneux. L'oursonne lapa un peu d'eau fraîche ; cela lui fit du bien.

Ce ruisseau venait certainement de la montagne : l'eau avait un goût de neige fondue. En le remontant, Lusa arriverait au suivant qui ressemblait à un museau d'ours, dont Oka lui avait parlé. De toute manière, ce ruisseau était sa seule piste. La forêt était immense, et Toklo, tout petit. Si elle le trouvait, Lusa aurait bien de la chance !

Elle longea le cours d'eau en restant à l'ombre des arbres. Le troisième jour, elle s'arrêta et s'assit sur la rive. Voilà que le ruisseau revenait vers la forêt ! Lusa n'avait pas le choix : elle devait cesser de le suivre. Elle s'en éloigna le cœur gros. Le joyeux babil de l'eau allait lui manquer...

L'oursonne grimpait sans relâche. Le soleil brûlait, mais grâce aux arbres, elle avait de l'ombre et un abri pour la nuit. Chaque soir, elle se réfugiait dans les branches d'un pin. Là-haut, personne ne pourrait la trouver : ni les grizzlis, ni les loups, ni les Museaux-plats.

Le cinquième matin, elle escalada une corniche abrupte qui surplombait la forêt. Ce qu'elle vit de là-haut lui coupa le souffle.

D'abord, la forêt vert foncé aux arbres touffus. Plus loin, les silhouettes des tanières des Museaux-plats et les sentiers des bêtes-feux, le tout sous un ciel bordé de fins nuages violets. L'oursonne s'assit pour admirer le paysage. Et soudain, elle songea au Creux des ours. Les autres pensaient-ils à elle ? Regardaient-ils la montagne en se demandant si elle avait trouvé Toklo ?

Lusa eut un pincement au cœur. Elle se sentait coupable d'avoir abandonné sa famille. Coupable, et très seule. Elle espérait que son père et sa mère n'étaient pas trop inquiets.

Tout à coup, elle dressa l'oreille. Bzz... bzz... L'un des arbres faisait un drôle de bruit. L'oursonne écarquilla les yeux : avait-elle trouvé un arbre-qui-bourdonne ? Dans ce cas, méfiance : « L'arbre-qui-bourdonne pique pour protéger son trésor : le miel, avait dit Stella. C'est encore plus doux et plus sucré que les myrtilles. » Lusa se releva, flaira l'air et plissa la truffe. Ça sentait vraiment très fort. Et très, très bon.

Elle se laissa guider par le bourdonnement et s'arrêta devant un arbre avec un gros trou au milieu du tronc. Des dizaines de petits insectes poilus y entraient et en sortaient. Lusa connaissaient ces insectes : c'étaient des abeilles. Elle en avait déjà vu, au Creux, voleter de fleur en fleur. Les abeilles n'étaient pas dangereuses.

Elle se hissa sur une grosse branche, fourra la tête dans le trou et se mit à lécher la chose tiède, collante et délicieusement sucrée qui le tapissait.

Au même instant, le bourdonnement s'intensifia. Lusa se contracta, un peu inquiète.

L'arbre attaqua sans prévenir. Il cracha un nuage d'abeilles qui se jetèrent sur elle et lui piquèrent la truffe, le crâne, le museau, les oreilles. Lusa haleta ; ces abeilles n'étaient pas comme celles du Creux ; elles avaient des dards invisibles et très pointus. Stella s'était trompée : les arbres-qui-bourdonnent n'existaient pas. Ils étaient juste habités par des abeilles très, très en colère.

— Aïe ! s'écria la petite ourse en leur donnant des coups de patte. Vous me faites mal ! ARRÊTEZ !

Mais le miel sentait vraiment trop bon ! Ça valait bien quelques piqûres… Elle replongea la tête dans le trou, lécha le miel en essayant d'ignorer les attaques des abeilles, puis elle descendit de l'arbre et s'éloigna cahin-caha en secouant la tête. Elle avait le museau en feu, mais le ventre plein. Le bon goût du miel doré resta dans sa gueule jusqu'à la fin de la journée.

Le soir, une légère brume venue de la montagne teinta le paysage en gris argenté. Lusa cherchait un abri pour la nuit lorsqu'elle aperçut une marque sur le tronc d'un arbre. Elle se dressa sur ses pattes arrière pour l'examiner. Des traces de griffes creusées dans le bois... King lui avait parlé de marques sur les arbres, mais Lusa ne se rappelait plus ce qu'il avait dit. Et puis, elle renifla une odeur suave. Il y avait des myrtilles, dans ce buisson. Miam ! Délicieuses. Et là-bas, il y en avait encore plus. Lusa s'en gava jusqu'au crépuscule. Lorsqu'elle leva les yeux vers le ciel, quelques étoiles s'y allumaient déjà.

C'était l'heure de trouver un abri.

Mais avant, il fallait qu'elle goûte au drôle de fruit qui poussait sur cette plante aux feuilles hérissées d'épines. Elle posa la patte sur une feuille et la retira aussitôt. Aïe ! Ça piquait presque autant que les abeilles ! Peut-être qu'en...

— Grrrrr ! fit une voix rauque dans son dos.

Lusa se retourna d'un bloc : un grizzli énorme se tenait devant elle. Frappée de terreur, l'oursonne planta les griffes dans le sol.

— C'est MON territoire ! gronda le grizzli en lui décochant un coup de patte.

Lusa tomba à la renverse. Le grizzli se mit debout. Avec sa fourrure brune en broussaille, ses grandes dents acérées et ses petits yeux marron qui luisaient méchamment, il semblait fou de rage.

Lusa se releva tant bien que mal en bredouillant :

— Je... je suis désolée ! Je ne voulais pas...

— Grrrrr !

Le grizzli l'envoya de nouveau bouler et la cloua au sol. Lusa ne pouvait plus respirer. Elle sentit les griffes de l'ours s'enfoncer dans sa poitrine. Le grizzli approcha le museau de l'oreille de Lusa et ouvrit la gueule. Une haleine chaude et fétide s'en échappa. Il se lécha les babines et chuchota d'une voix venimeuse :

— J'ai trouvé à manger ! Je vais me régaler...

CHAPITRE 27

Toklo

C'était presque haute-lune. La truffe tendue vers l'étoile-qui-brille-toujours-plus-que-les-autres, Toklo marchait dans la ravine qui reliait les deux vallées. Il se demandait si l'étoile ne se moquait pas un peu de lui. Toklo était un costaud, il n'avait besoin de personne. Pourquoi avait-il rencontré cette tête de saumon d'Ujurak ?

Ujurak paraissait infatigable. Toute la journée, il avait trottiné droit devant lui. Pourquoi avait-il fait comme s'il était perdu, puisqu'il semblait savoir où il allait ? Pour que Toklo ait pitié de lui et accepte de l'accompagner ?

Un vent frais s'était levé, ébouriffant la fourrure emmêlée de Toklo. L'ourson dérapa sur un tas de cailloux, qui dégringolèrent le long de la pente en faisant beaucoup de bruit. Et voilà ! Maintenant, il allait se casser la figure. Tout ça à cause d'Ujurak, qui faisait son chef en marchant devant.

Il s'arrêta et s'ébroua. Ujurak le rejoignit et se mit à courir autour de lui, la langue pendante.

— Qu'est-ce que tu as, Toklo ? Pourquoi tu t'arrêtes ?

Toklo arrondit le dos. Quand un ourson courait autour d'un autre en tirant la langue, c'était qu'il voulait jouer. Or, Toklo n'avait pas envie de jouer avec Ujurak. Cette histoire de change-forme le perturbait. Ujurak était-il un Peau-lisse, ou un grizzli ? S'il se transformait en pleine bagarre-pour-de-faux, Toklo risquait de lui faire très mal !

— On devrait grimper encore, grommela-t-il. Dans la vallée, il y a trop de Peaux-lisses, et pas assez de gibier.

— L'étoile me dit qu'il faut contourner la montagne, protesta Ujurak en levant le museau vers le ciel.

— Pourquoi tu suis cette étoile ? grogna Toklo.

Bizarrement, il n'aimait pas qu'Ujurak ait choisi l'étoile-qui-brille-toujours-plus-que-les-autres comme guide. C'était *son* étoile. Il n'avait pas envie de la partager.

— Je ne sais pas, répondit le petit grizzli. J'ai l'impression qu'elle me montre le chemin.

— Eh bien, à moi, elle me dit que c'est l'heure d'aller dormir, bougonna Toklo.

Et il se dirigea vers un creux entre deux rochers.

— Bonne idée, approuva Ujurak.

L'abri était juste assez grand pour les deux oursons. Toklo remarqua avec satisfaction qu'il avait un peu grossi.

Ujurak se coucha sur le flanc et posa le menton sur la patte avant de Toklo. L'ourson avait envie de le repousser : Ujurak et lui n'étaient pas nés dans la même tanière-berceau ! Seulement, il s'aperçut que cet insolent dormait déjà.

— Génial ! soupira Toklo.

Il leva la tête vers l'étoile-qui-brille-toujours-plus-que-les-autres. *Son* étoile. C'était décidé : dès qu'Ujurak serait assez fort pour se débrouiller seul, Toklo partirait de son côté.

Il fut réveillé par un rayon de soleil passant entre les rochers. Il roula sur le ventre et s'étira. Il avait la gueule sèche et la fourrure lourde – comme s'il portait un ourson sur le dos.

Il ouvrit les yeux d'un coup. Ujurak n'était plus là ! Toklo se leva, se rassit et se gratta la truffe. Et si le grizzli s'était encore changé en Peau-lisse ?

Et puis, il entendit un bruit de cailloux qui s'entre-choquent. Il sortit la tête de l'abri : Ujurak était en train de gratter le sol avec ses pattes. Bon. Au moins, il ne s'était pas transformé.

— Qu'est-ce que tu fabriques ? lui demanda-t-il d'un ton sec.

Ujurak sursauta.

— Je cherche des vers et des asticots. Il y en a, parfois, sous les rochers.

— Arrête de creuser, ronchonna Toklo. Tu risques de me faire tomber les rochers sur la tête.

Il éprouva un petit pincement au cœur. C'était exactement ce que sa mère lui disait quand ils s'abritaient entre deux rochers, avant. Toklo aussi grattait la terre pour trouver des vers.

Ujurak eut l'air horrifié.

— Je... Pardon ! Je ne savais pas ! Je ne voulais pas t'écrabouiller ! Pardon pardon pardon !

— Grmmmbl... répliqua Toklo avant de repartir le long de la ravine.

À travers la brèche, au bout, on apercevait la montagne. Vue d'ici, elle ressemblait à des ours géants endormis. Elle était tellement haute qu'on ne voyait presque plus le ciel.

Toklo avait très soif. Il espérait trouver une rivière, au pied de la montagne.

Ujurak le rejoignit, et il trottina à côté de lui en éparpillant des petits cailloux.

— Elle est où, ta maman ? demanda-t-il au bout d'un moment.

Toklo se mordit la langue. Il avait trop honte pour dire la vérité.

— C'est une longue histoire, lâcha-t-il. Et toi ? D'où tu viens ?

— Je ne sais pas trop... mais je me souviens de ma maman : elle était très grande. Et très gentille. J'aimais bien dormir tout contre elle.

— Alors tu es bien un ours, décréta Toklo. Ça m'étonnerait que les Peaux-lisses aiment dormir contre leur maman.

Lorsqu'ils arrivèrent dans la vallée, Toklo huma l'air, posté au milieu d'une prairie entourée de pentes aux sommets enneigés. Soudain, le vent lui apporta une odeur familière : un grizzli ! Comme l'odeur venait de la droite, Toklo se dirigea vers la gauche.

Il se retourna : Ujurak ne l'avait pas suivi. Les yeux fermés, le museau levé vers le ciel, il se balançait d'avant en arrière.

— Tu viens ou quoi ? s'impatienta Toklo.

— Attends, je demande…, murmura Ujurak.

— Tu demandes quoi ?

— Je demande à l'étoile quelle direction on doit prendre, fit-il, l'air concentré.

Toklo était furieux : pourquoi Ujurak pouvait-il parler à l'étoile et pas lui ? Ce n'était pas juste ! Et d'abord, comment arrivait-il à lui parler *en plein jour* ? Ce minus lui racontait n'importe quoi !

Au bout d'un long moment, Ujurak rouvrit les yeux et s'exclama :

— On est dans la bonne direction ! En route !

— Pfff ! Je le savais, grogna Toklo.

Ujurak n'allait quand même pas lui faire croire qu'une étoile invisible lui disait où aller ! Il fallait aller à gauche, parce que, à droite, il y avait un grizzli, et que c'était dangereux, un point, c'est tout.

Toklo passa devant : c'était lui le plus grand, il serait donc le chef.

Il avançait parmi les herbes aussi hautes que lui, dont les brins velus lui chatouillaient les oreilles.

— Où tu es né ? demanda Ujurak. Tu as des frères et sœurs ? Ils te manquent ?

Toklo se renfrogna. L'autre ne pouvait-il pas se taire plus de cinq minutes ?

— Tu poses beaucoup de questions, commenta-t-il.

— Je suis curieux, rétorqua Ujurak.

— Quand est-ce que tu as commencé à te transformer ? demanda Toklo pour changer de sujet.

— Je ne me rappelle pas, avoua le petit grizzli. Je crois que j'étais tout bébé...

Ils approchaient de la forêt. Toklo espérait y trouver un cours d'eau, pour boire et se rafraîchir.

Tout à coup, il entendit un bruissement dans les fourrés. Un gros oiseau noir jaillit devant eux et s'envola dans un grand battement d'ailes. Les deux oursons sursautèrent.

— Zut ! s'écria Toklo. Je suis sûr que j'aurais pu l'attraper !

Il se tourna vers Ujurak. Le petit grizzli tremblait de tous ses membres.

— Pourquoi tu as peur ? s'étonna Toklo. C'était juste un oiseau.

Ujurak ne répondit pas. Il baissa la tête, écarta les pattes... et soudain, sa fourrure disparut, comme aspirée à l'intérieur de sa peau. À la place poussèrent de grosses plumes noires et lustrées. L'ourson rapetissa, ses pattes avant devinrent des ailes ; ses pattes arrière, des serres maigrelettes.

Toklo ouvrit la gueule, sidéré : Ujurak s'était changé en un oiseau noir ! Il pencha la tête sur le côté et cria :

— Bwak ? Bwâââk ?

— Arrête de faire l'idiot, protesta Toklo. Retransforme-toi en ours !

— Kabwâââk ! répliqua Ujurak en sautillant.

Et il se mit à picorer la terre. Toklo lui donna un petit coup de museau.

— On perd du temps à cause de toi ! C'est pas le moment de jouer !

— Bak-kwak-kwak, annonça l'oiseau avant de s'envoler.

Toklo secoua la tête et soupira : puisque Ujurak était parti, autant trouver à manger. Il s'enfonça dans la forêt et farfouilla sous les feuilles mortes et entre les racines. Quelques bulbes par-ci... quelques noix par-là... Une fois qu'il eut le ventre plein, il s'allongea à l'ombre d'un arbre. C'est ce moment que choisit Ujurak pour atterrir.

Il glissa sur les feuilles mortes et faillit se casser la figure. Puis sa silhouette devint floue... et quelques instants plus tard le petit grizzli s'immobilisait devant Toklo, le souffle court.

— Ça y est ? grogna ce dernier. T'as fini de faire des bêtises ?

— Je... j'ai eu très, très peur, haleta Ujurak. C'est la première fois que je me change en oiseau !

— Eh ben, j'espère que ce sera la dernière ! On peut y aller, maintenant ?

— J'ai cru que j'allais mourir ! couina le petit grizzli en s'ébrouant. J'ai cru que j'allais me retransformer en ours en plein ciel et que j'allais m'écrabouiller par terre !

— Oui, mais tu es toujours vivant, observa Toklo. En route.

Ujurak poursuivit :

— Quand j'ai... senti que je redevenais un grizzli, je me suis drôlement dépêché d'atterrir ! J'ai eu trop peur.

— T'avais qu'à pas te changer en oiseau.

— Mais je le fais pas exprès ! s'exclama Ujurak, les yeux ronds. Je me transforme quand je suis effrayé ou très content ou...

— Alors tu ferais mieux d'apprendre à te contrôler ! Sinon, tu vas nous attirer des ennuis.

Le petit grizzli prit un air penaud et s'éloigna en murmurant :

— Je sais... Pardon !

Toklo lui emboîta le pas. Au bout d'un moment, Ujurak se tourna vers lui, une lueur espiègle dans les yeux.

— Je suis sûr que tu adorerais voler !

— Ça m'étonnerait !

Ujurak se tut.

— Bon, d'accord, soupira Toklo. Raconte !

Le petit grizzli bondit.

— Voler, c'est magique ! Depuis là-haut, on voit le monde entier ! Les montagnes, les vallées qu'on a traversées et toutes les autres... Et on se sent tout léger, comme une feuille portée par le vent ! D'ailleurs, dans le ciel, le vent souffle bien plus fort qu'ici. Il aurait pu me pousser jusqu'à l'océan !

Toklo l'écoutait, très inquiet : comment allait-il éviter le danger en compagnie d'un grizzli-oiseau-Peaulisse qui faisait n'importe quoi ?

— Une rivière ! le coupa-t-il soudain en flairant l'air. Une rivière avec du saumon. Viens ! Il est encore tôt : s'il n'y a personne, on pourra peut-être en attraper un !

Il s'élança à travers la forêt, Ujurak sur ses talons.

La rivière était large, mais peu profonde, avec de gros îlots boueux au milieu. Le courant n'était pas très fort. Toklo s'arrêta sur la berge sablonneuse et leva la truffe : il y avait des grizzlis, plus loin, cachés

par les arbres, à l'endroit où la rivière faisait un coude.
Mais de là-bas, ils ne le verraient pas.

— Reste là, ordonna-t-il à Ujurak. Je vais pêcher
un saumon.

Le petit grizzli s'assit en clignant des paupières.
Toklo s'avança au milieu de la rivière et but un peu
d'eau. C'était frais. Ça faisait du bien. Tout à coup, il
aperçut un éclair argenté, en amont. Il se dirigea vers
lui sans le quitter des yeux.

Là ! Des écailles qui luisent, un corps lisse et fin,
au-dessus des galets. Toklo plongea. Au même instant,
il se souvint qu'il fallait sauter là où allait le poisson
– pas *sur* le poisson. Ses pattes se refermèrent sur les
cailloux.

— Presque ! s'exclama Ujurak. Je peux essayer, dis ?

— Chut ! répliqua Toklo.

Il se remit en position : le dos au courant, les yeux
rivés sur l'eau, les muscles tendus à craquer. Les
minutes passèrent. Toklo avait mal aux épaules et les
yeux qui piquaient, mais il restait immobile.

— Alors ? Tu as vu un poisson ?

Toklo sursauta avec un cri de surprise et tomba les
quatre fers en l'air en soulevant une gerbe d'eau. Ujurak se tenait juste derrière lui. Il ne l'avait pas entendu
arriver.

— Pardon ! s'écria le petit grizzli. Je ne voulais pas
te faire peur ! Je voulais juste regarder comment tu
fais !

Toklo se releva, la fourrure dégoulinante.

— Très bien, grommela-t-il. Tu peux rester, mais
par les Grands Esprits des eaux... TAIS-TOI !

— Je me tais. Promis, promis juré craché !

Ujurak s'assit dans l'eau et plaqua les pattes sur sa gueule.

Toklo reprit position en marmonnant. Il n'y croyait plus vraiment. Ils avaient dû faire fuir tous les poissons avec ce vacarme. Il fallait...

Attention ! Un saumon rose argenté glissait vers lui. Toklo se ramassa sur lui-même et banda ses muscles, prêt à bondir...

— BANZAÏ ! hurla Ujurak.

Et il sauta en avant. Il atterrit dans l'eau de tout son poids, avec un grand splash ! Toklo avait de l'eau partout – dans les narines, dans les yeux, dans les oreilles. Et, bien sûr, le saumon s'était échappé.

Il se frotta le museau en criant :

— Non mais, ça va pas, la tête ? T'as gardé ta cervelle d'oiseau ou quoi ?

Il rouvrit les yeux : Ujurak n'était plus là ! Toklo regarda à gauche. À droite. Dans le ciel. Dans les arbres. Personne.

— Ujurak ! Rechange-toi en ours tout de suite !

À cet instant, un poisson lui passa entre les pattes. Toklo faillit bondir, mais il se ravisa : et si Ujurak s'était transformé en saumon ?

Il baissa la tête vers la rivière et s'exclama :

— Tu mériterais que je te mange ! Ça t'apprendrait à te changer en n'importe quoi !

Il retourna sur la berge et secoua la tête pour faire partir l'eau qu'il avait dans les oreilles. C'est alors qu'il entendit des voix.

Des voix d'ours en train de pêcher !

De pêcher... Ujurak ?

— Non !

Il se rua vers l'amont, franchit le rideau d'arbres et freina juste devant deux gros grizzlis – un mâle et une femelle. À cet endroit, la rivière formait une petite retenue d'eau entourée de noisetiers. Surpris, les grizzlis levèrent la tête et se tournèrent vers Toklo.

— Il faut pas manger les poissons de cette rivière ! s'écria l'ourson, tout essoufflé.

— Et pourquoi, s'il te plaît ? s'enquit la femelle grizzli.

— Je meurs de faim, déclara le mâle. S'il y a du poisson dans cette rivière, je le mangerai.

— La rivière est à tout le monde, gronda la femelle. Fiche le camp !

Et elle replongea la truffe dans l'eau.

Réfléchir, vite ! Un saumon, c'était très rapide. Ujurak était sans doute déjà là. Ces ours étaient énormes – trop gros pour Toklo. Il allait falloir ruser.

— Les saumons de cette rivière sont malades ! cria-t-il. Si vous en mangez, vous serez empoisonnés !

La femelle plissa les paupières.

— Comment le sais-tu ?

Toklo prit un air malheureux.

— Ma maman en a mangé, et elle est morte.

Le mâle se dressa sur ses pattes arrière et gronda :

— Si tu nous racontes des histoires, tu...

Toklo secoua la tête avec véhémence, fier de lui : il trouvait qu'il mentait très bien.

— C'était... c'était horrible ! gémit-il. Son ventre est devenu tout dur. Ensuite elle s'est mise à sentir bizarre, et puis elle a vomi, vomi, vomi, et après elle s'est couchée et... et elle est morte. Comme ça : pouf !, ajouta-t-il en fermant les yeux et en tirant la langue.

La femelle se dépêcha de sortir de l'eau, mais le mâle ne bougea pas.

— Je ne suis pas sûr qu'elle soit morte à cause du saumon, précisa Toklo d'un air innocent. Mais comme elle n'a rien mangé d'autre... Enfin... Vous n'avez qu'à essayer, on verra bien si j'ai raison.

Le mâle lâcha un grognement, se laissa retomber à quatre pattes et regagna la berge au ralenti.

— Si tu t'es moqué de moi, tu le regretteras, gronda-t-il. Si je te vois manger un poisson...

— Ça n'arrivera pas, déclara Toklo.

Et, cette fois, il disait la vérité.

— Merci de nous avoir prévenus, petit, lança la femelle avant de disparaître dans la forêt.

Toklo s'effondra dans le sable. Son cœur battait si fort qu'il crut qu'il allait s'échapper de sa poitrine. Il n'en revenait pas : il avait fait fuir deux grizzlis ! Deux grizzlis *adultes*, qui avaient cru à son histoire à dormir debout !

Tout à coup, l'eau se mit à bouillonner et un saumon s'approcha du bord de la rivière. En un clin d'œil ses nageoires scintillantes se muèrent en pattes d'ours, son corps se couvrit de fourrure, et Ujurak se traîna sur la berge en grelottant et en crachant de l'eau. Il s'écroula à côté de Toklo.

— Par... pardon, bredouilla le petit grizzli, hors d'haleine.

— Oh, tu peux t'excuser, oui ! explosa Toklo. À cause de toi, ces grizzlis ont failli me mettre en pièces ! Si je n'avais pas été là, ils t'auraient dévoré tout cru !

Ujurak ouvrit de grands yeux ronds.

— Merci ! Merci infiniment ! Je savais qu'on deviendrait amis, toi et moi !

— Tu as vraiment des abeilles dans le crâne, ronchonna Toklo. Tu as dû passer trop de temps changé en Peau-lisse. En tout cas, tu n'as rien d'un ourson. On ne peut pas continuer à voyager ensemble. Tu es trop dangereux… et trop bizarre.

Les épaules d'Ujurak s'affaissèrent.

— Je croyais qu'on était amis…

— Les amis ne se transforment pas tout à coup en n'importe quoi ! rétorqua Toklo d'un ton cassant. Continue sans moi !

Il sauta sur ses pieds et courut vers la forêt. Il avait mauvaise conscience : il cherchait une excuse pour se débarrasser d'Ujurak. S'enfonçant dans les bois sans se retourner, il sentit le remords, cuisant comme la brûlure de haut-soleil. Mais Toklo était un solitaire. Il n'avait besoin de personne.

Après s'être assuré que les deux gros grizzlis étaient bien redescendus dans la vallée, il se remit à grimper dans la montagne.

L'étoile-qui-brille-toujours-plus-que-les-autres apparut au moment où le ciel virait du bleu clair au violet foncé. Toklo pensa à Ujurak : regardait-il l'étoile, lui aussi ? N'était-il pas trop malheureux pour suivre sa mystérieuse destination ? Ujurak allait encore s'attirer des ennuis ! Il allait peut-être même croiser la route des deux grizzlis. Sans l'aide de Toklo, il ne survivrait pas.

Alors, Toklo fit demi-tour. Il retraversa la forêt à toute vitesse, se laissant guider par le bruit de la rivière. Une fois sur la berge, il retrouva facilement la piste du petit grizzly. Au bord de la retenue d'eau, il aperçut une silhouette, allongée par terre. Ujurak était-il mort ? Toklo courut jusqu'à lui et s'arrêta net. Ujurak n'était pas mort : il dormait ! Un léger bourdonnement s'échappait de ses narines. Avec sa fourrure parsemée de feuilles et maculée de boue, il ressemblait à Tobi.

Toklo ne pouvait pas l'abandonner. C'était un miracle qu'il ait survécu jusque-là. Qu'arriverait-il s'il se transformait en insecte ? Il se ferait écraser, et Toklo se retrouverait hanté par un deuxième esprit. Et ça, il n'en était pas question ! Celui de Tobi lui suffisait.

Avec un soupir, il s'allongea contre Ujurak. Le petit grizzli gloussa dans son sommeil et se rapprocha de Toklo. Celui-ci leva la tête vers l'étoile-qui-brille-plus-que-les-autres et marmonna :

— Je sais ce que tu penses. D'accord, je vais rester avec lui jusqu'à ce qu'il sache se débrouiller tout seul, mais après je partirai.

CHAPITRE 28

Kallik

Kallik se réveilla, blottie contre Nanuk, dont la fourrure lui chatouillait la truffe. La cage des Sans-griffes n'était pas si terrible, en fin de compte. Ici, au moins, elle était en sécurité, et elle n'avait pas mal aux pattes à force de fuir le danger. Elle espérait juste que les Sans-griffes allaient lui donner à manger.

Soudain, elle entendit un bruit de pas : les Sans-griffes arrivaient. Elle s'assit brusquement et écarquilla les yeux. Une foule de Sans-griffes étaient rassemblés devant la cage. Tous brandissaient des bâtons, des toiles d'araignée géantes et des objets bizarres.

— Ne crains rien, chuchota Nanuk. On va nous endormir pour nous ramener sur la glace.

Kallik se leva d'un bond.

— C'est vrai ?

— Oui. Les Sans-griffes vont nous conduire dans la baie, où on va attendre que la glace se reforme.

Courage ! Cette fois, Kallik allait essayer de ne pas trembler devant les épines en métal et les bâtons-qui-attrapent. Mais quand les Sans-griffes entrèrent dans la cage, elle enfouit le museau dans la fourrure de Nanuk et glapit :

— J'ai peur ! Et si... et si on ne se réveille pas ? Si les Sans-griffes nous emmènent loin de Taqqiq ?

Elle leva les yeux vers l'ourse blanche et demanda :

— Dis, Nanuk, tu crois que je vais retrouver mon frère ?

— Je suis sûre que oui, répondit Nanuk en posant la truffe sur le crâne de l'oursonne. Détends-toi. Pense à la glace, à la bonne viande de phoque et aux galopades sur la neige. Pense que, bientôt, tu pourras jouer avec ton frère à l'endroit où les étoiles brillent tout le jour.

Kallik retint son souffle. L'épine en métal ne lui fit pas très mal. Elle se dit que, quelque part, d'autres Sans-griffes piquaient Taqqiq pour l'emmener au pays où la glace ne fond jamais, et elle s'endormit.

Kallik ouvrit les yeux d'un coup. Elle était serrée contre le ventre de Nanuk. Un vent froid pénétrait sa fourrure. Un vent trop froid, et trop fort. Il y avait quelque chose de bizarre. Comme si elle était ballottée par les vagues, sauf qu'elle n'était pas sur un îlot de glace. Elle regarda autour d'elle et crut qu'elle allait s'évanouir de terreur.

Nanuk et elle étaient enfermées dans une toile d'araignée géante accrochée au ventre d'un oiseau en métal gigantesque. L'oiseau vrombissait comme un insecte monstrueux.

Elle baissa la tête. Son cœur faillit s'arrêter. Le sol ! Pourquoi était-il si bas ? Prise de panique, Kallik poussa un cri et commença d'escalader la toile d'araignée.

— Chut ! Calme-toi, lui fit Nanuk d'une voix douce. Respire... Tu sens cette odeur ?

Kallik se rallongea sur le ventre de la femelle et inspira profondément.

— Ça sent la glace, fit-elle. On rentre chez nous ?

— Oui, murmura Nanuk. Tout va s'arranger.

L'oursonne enfonça le museau dans la fourrure de Nanuk. Le vent forcissait ; l'air s'épaississait ; la toile d'araignée se balançait de plus en plus. Ça ne sentait pas que la glace : ça sentait aussi l'orage. Bientôt, une pluie givrante se mit à tomber. Très vite, Kallik et Nanuk furent recouvertes de cristaux blancs.

L'oursonne murmura à l'oreille de sa nouvelle maman :

— Je pourrai rester avec toi ?

La femelle lui posa la patte sur le flanc.

— Oui, petite, tu pourras rester avec moi.

Malgré sa peur, Kallik s'endormit.

Soudain, il y eut une secousse, et l'oursonne se réveilla en sursaut.

Il n'y avait plus de vent. Tout autour d'elle, c'était blanc, mouillé et cotonneux. Kallik haleta : elle avait été avalée par un nuage !

— C'est le brouillard, la rassura Nanuk. Il est plus épais, dans les airs.

La petite ourse regarda en bas : on ne voyait plus le sol. Le brouillard tournoyait, étouffant le bruit de l'oiseau métallique. À l'entendre, l'oiseau n'aimait pas voler dans cette nappe cotonneuse. Ses ailes cliquetaient bizarrement, comme s'il claquait des dents. Kallik leva les yeux, et sa fourrure se hérissa : quelque chose n'allait pas.

Soudain, les ailes s'inclinèrent, crachotèrent, puis s'arrêtèrent de tourner. Et l'oiseau plongea vers le sol en hurlant.

Kallik poussa un cri strident et enfouit le museau dans la fourrure de Nanuk. Ils allaient s'écraser ! La femelle la serra très fort dans ses pattes. Kallik entendait son cœur cogner contre ses côtes.

Un bruit de tonnerre déchira l'air et une flamme orange embrasa le ciel. L'oiseau de métal prit feu avant de percuter le sol avec un grand CRAAAC !

Tout devint noir.

Kallik était trempée. Elle avait l'impression d'avoir dormi sous la pluie pendant des heures. Elle cligna des yeux. Une forme massive contre son dos lui tenait chaud. L'espace d'un instant, elle se crut dans sa tanière-berceau, avec Taqqiq et Nisa. Puis elle sentit une forte odeur de brûlé, et ses souvenirs revinrent d'un coup.

— Nanuk !

Elle se tourna vers la femelle. Nanuk était immobile, et elle avait les yeux fermés.

— Nanuk ! S'il te plaît, ne sois pas morte !

La femelle remua et cracha un filet de sang rouge.

— Qu'est-ce que je peux faire ? geignit Kallik.

Nanuk ouvrit les yeux et plongea son doux regard dans celui de l'oursonne.

— Retrouve ton frère, murmura-t-elle.

Kallik se mit à pleurer.

— Mais je veux qu'on le cherche ensemble, toi et moi !

— Tu vas devoir te débrouiller seule, souffla Nanuk. J'ai confiance : tu es forte.

— Et toi ? Où tu vas aller ?

— Rejoindre les Esprits des glaces. Comme ça, quand tu arriveras au pays où la glace ne fond jamais, où les esprits des ours dansent dans le ciel et le peignent de mille couleurs, je serai là.

— Alors, c'est vrai ? haleta Kallik. Cet endroit existe ?

— Oui, murmura Nanuk en fermant les yeux. J'en suis certaine.

Sa voix n'était plus qu'un souffle ; le vent l'emporta tel un flocon de neige dans la tempête.

— Attends ! s'écria Kallik. Ne meurs pas ! Parle-moi des ours qui dansent ! Parle-moi des couleurs qu'ils peignent dans le ciel !

Elle posa les pattes sur le flanc de Nanuk et la secoua, la secoua pour la réveiller. Mais Nanuk ne bougeait plus. La petite ourse lui effleura le front avec son museau et chuchota tout bas :

— Merci de t'être occupée de moi.

Elle écarta les fils et sortit de la toile d'araignée géante. L'oiseau en métal dégageait une épaisse fumée âcre. Des flammes orange vif lui dévoraient le corps en faisant un bruit de bâton-qui-tue et en crachant des gerbes d'étincelles.

Kallik partit en courant, sans savoir où elle allait. Elle voulait fuir, fuir le plus loin possible de cet oiseau en feu. Ses pattes dérapaient dans la boue. Le vent lui envoyait de la neige fondue dans les yeux. Elle s'arrêta au sommet d'une grande pente et regarda en arrière. La forme immobile de Nanuk se découpait dans la nuit, à côté de l'épave en flammes.

— Au revoir, Nanuk, dit Kallik, la gorge serrée. Rendez-vous au pays des Glaces éternelles. Je suis sûre que tu danses très bien.

CHAPITRE 29

LUSA

— **R**rhaaa !

Lusa cria tellement fort que le gros grizzli sursauta, surpris. En un éclair, la petite ourse se dégagea et se faufila sous un buisson épineux. Aïe ! Ça piquait, ça s'accrochait à la fourrure et ça arrachait des touffes de poils. Mais il fallait traverser ce buisson à tout prix, c'était une question de vie ou de mort.

Une fois de l'autre côté, Lusa se rua au sommet d'un arbre. Vite, vite, viiite ! Les branches et les feuilles défilaient à une allure folle. Là-haut, l'oursonne serait en sécurité : les grizzlis ne savaient pas grimper aux arbres. Heureusement que King lui avait appris à les escalader !

— Redescends tout de suite ! rugit le gros ours, et il se mit à faire les cent pas au pied de l'arbre en soufflant de colère.

Lusa se cramponna au tronc et ferma les yeux. « S'il vous plaît, Esprits de la forêt, faites que ce gros méchant s'en aille ! »

Mais le gros méchant ne s'en allait pas. Il grondait :

— Je vais te tailler en pièces ! Tu n'aurais pas dû venir sur mon territoire ! Je vais t'apprendre le respect, moi ! Je vais t'arracher le cœur !

Lusa aurait aimé avoir quatre pattes avant, pour se boucher les oreilles. Elle tremblait tellement que tout l'arbre vibrait. Dans sa tête, une petite voix chuchotait : « Cet ours veut te manger, comme Oka voulait manger le Museau-plat ! »

Mais Lusa était têtue. Il ne la mangerait pas ! Plutôt mourir ici de faim et de soif.

À la nuit tombée, l'ours était toujours là, en train de faire son manège : trois pas à gauche, trois pas à droite ; grognements de fureur, babines écumantes.

À haute-lune, il se dressa sur ses pattes arrière et rugit :

— T'as pas intérêt à revenir ici !

Puis il disparut dans les bois.

Lusa se colla au tronc en tremblant. Elle avait trop peur pour descendre, et trop peur pour dormir. La forêt obscure lui semblait froide et hostile. King lui avait dit comment échapper à un grizzli ; il ne lui avait pas dit ce qu'il fallait faire *après*.

Aux premières lueurs du matin, la petite ourse regarda en bas : aucune trace du grizzli. Elle huma l'air : pas d'odeur de fourrure terreuse. Alors, prudemment, elle se laissa glisser à terre. Comme l'ours était parti à gauche, elle s'élança vers la droite, s'éloignant du chemin de la montagne. Tant pis, elle bifurquerait plus tard ! Elle devait quitter ce territoire au plus vite. Soudain, elle aperçut d'autres traces de griffes sur un tronc d'arbre. Et les paroles de King lui revinrent en mémoire : « Ces marques signifient que tu es sur le territoire d'un ours adulte. Et, dehors, aucun adulte n'aime les voleurs. Si un ourson lui prend sa nourriture, il se mettra très en colère, surtout si c'est un grizzli. »

Lusa avait envie de se gifler : comment avait-elle pu oublier ? Elle avait eu de la chance d'en réchapper !

Désormais elle voyagerait de nuit : ce serait plus sûr. Elle quitta le territoire du grizzli et passa le reste de la journée en haut d'un arbre. Lorsque le soleil eut disparu derrière la montagne, elle se remit en route. La nuit, c'était moins facile de trouver à manger, mais Lusa se sentait protégée par l'obscurité.

Une lune entière s'écoula ainsi. Un soir, Lusa escalada un gros tas de rochers et déboucha sur un plateau immense. La montagne ne montait plus nulle part.

Lusa était arrivée au sommet !

Elle s'abrita dans une grotte et admira les lumières des Museaux-plats qui brillaient en contrebas. On aurait dit un ciel à l'envers ; un ciel plein d'étoiles orange et jaunes. Le monde était beaucoup, beaucoup plus vaste que ce que Lusa avait imaginé. Pourquoi Oka ne lui avait-elle rien dit ?

Lusa soupira : sa famille lui manquait. Ashia et sa douce chaleur, Stella et ses histoires amusantes ; même King et sa mauvaise humeur. Elle avait envie de jouer à la bagarre avec Yogi et de courir le long

des murs du Creux pour gagner des friandises.
Les autres ours regardaient-ils la Gardienne ? Pensaient-ils à elle ? Lusa se sentait toute triste. Elle ne
les reverrait probablement jamais. Elle posa la tête sur
ses pattes et fixa la lune qui flottait dans le ciel.

Le lendemain matin, Lusa décida d'arrêter d'être
triste. Elle ne pouvait pas reculer ! Il fallait qu'elle
retrouve Toklo. Elle s'était suffisamment éloignée du
territoire du grizzli, elle pouvait donc recommencer
à se déplacer de jour. Elle sortit de la grotte et entreprit de descendre de l'autre côté de la montagne.
« Prudence ! se disait-elle. Il y a certainement des tas
de grizzlis, ici ! Il faut que je regarde bien les arbres
pour voir s'il n'y a pas de traces de griffes. »

Peu après haut-soleil, elle fit une pause sur une
petite corniche. Elle plissa les yeux... Très loin, en
bas, trois lacs scintillaient sous le soleil. C'étaient
sûrement ceux dont Oka lui avait parlé !

Revigorée, Lusa accéléra le pas. Une belette passa
juste sous sa truffe, et elle se lança à sa poursuite. La
belette s'échappa, mais l'oursonne continua de courir,
le vent jouant dans sa fourrure. Elle se sentait pousser
des ailes. La fin de son voyage approchait !

Lorsqu'elle atteignit le premier lac, elle avait les
coussinets en feu. Lusa plongea dans les eaux cristal-
lines avec un jappement de joie. De tout petits
poissons argentés se faufilèrent entre ses pattes. L'oursonne essaya de les attraper en gloussant de plaisir.

Un drôle d'animal l'observait depuis la berge. Il
avait de grandes pattes minces, une fourrure marron
en bataille et une paire de grosses antennes sur le

front. Un élan ! King lui en avait décrit un ; il avait dit que les élans ne mangeaient pas les ours.

— Bonjour ! s'écria Lusa. Tu viens te baigner avec moi ?

L'élan pencha la tête de côté, la regarda bizarrement, se détourna et s'éloigna d'un pas tranquille.

Lusa haussa les épaules et replongea dans l'eau. Quand ses pattes ne touchèrent plus le fond du lac, elle les agita et s'aperçut qu'elle savait nager. Comme elle aurait aimé que Yogi voie ça ! Le petit ourson noir lui manquait cruellement. Et puis, Lusa songea à Toklo. Bientôt, elle ne serait plus seule. Elle se demanda si les grizzlis savaient nager, eux aussi.

« Je lui apprendrai », se promit-elle.

Lusa resta sur les berges des lacs pendant cinq jours. C'était agréable, de se reposer un peu, de se baigner dans l'eau fraîche et de manger les baies qui poussaient sur les rives verdoyantes.

Et puis, la petite ourse décida qu'il était temps de se remettre en route.

La forêt morte se dressait aux abords du troisième lac, exactement comme l'avait dit Oka. D'emblée, Lusa détesta cet endroit. Il était rempli de troncs noirs et creux, sans feuilles ni baies. Des cendres et des bouts de bois brûlés recouvraient le sol. Et, surtout, il y avait ce silence étrange, terrifiant. Pas un chant d'oiseau. Pas un cri d'animal. Juste le sifflement du vent et les branches mortes qui craquaient sous les pas de Lusa.

L'oursonne frissonna. Qu'était-il arrivé aux esprits des ours ? Erraient-ils toujours ici ? Épiaient-ils les voyageurs imprudents depuis les troncs noirs et fragiles ? Les piégeaient-ils à tout jamais dans cette forêt maudite ?

Lusa n'avait pas envie de dormir dans ce lieu sinistre. Il n'y avait aucun buisson et le vent faisait craquer les troncs calcinés. Elle marcha toute la nuit et une bonne partie du lendemain avant d'atteindre la rivière asséchée dont avait parlé Oka. La petite ourse suivit le sillon qu'elle creusait dans la forêt. Elle avait mal aux pattes, elle était couverte de cendres et de suie, mais elle continua d'avancer.

Au bout de plusieurs heures, elle aperçut des feuilles sur un arbre. Elle accéléra malgré ses muscles endoloris. Elle n'avait pas rêvé ! Il y avait des petites pousses vertes sur le tronc noirci ! Et là, encore d'autres. Plus loin, une tige de lierre s'enroulait autour d'un tronc. Lusa sentit une joie immense : c'était comme si les plantes revenaient à la vie. Soudain elle se figea : et si c'était le territoire d'un méchant grizzli ? Elle fouilla les environs à la recherche de marques de griffes sur une écorce : rien. Ouf !... Cet endroit n'appartenait à personne.

Lusa quitta la forêt morte à la tombée de la nuit. À présent, les arbres bruissaient de vie et les esprits des ours murmuraient de nouveau dans les feuilles. Trop fatiguée pour grimper dans un arbre, elle se réfugia sous un entrelacs de racines. En plus, le tronc noueux lui rappelait le visage de Stella. Elle posa la patte dessus et murmura :

— Bonne nuit, Stella.

Puis elle se roula en boule, triste et découragée. Comment avait-elle pu croire qu'elle trouverait Toklo

au bout d'un jour ou deux ? Le dehors était si vaste !
« Peut-être que je ne le rencontrerai jamais... », pensa-t-elle.

Elle allait devoir apprendre à survivre dans la montagne toute seule, sans famille et sans amis.

CHAPITRE 30

Toklo

Toklo se réveilla en grognant. Quelqu'un lui donnait des petits coups de truffe toute froide.

Les rayons du soleil passaient entre les feuilles des arbres et faisaient scintiller des bulles dorées dans la rivière.

— Toklo ! s'exclama Ujurak. Tu n'es pas parti ! Je suis drôlement content !

— Je resterai avec toi à condition que tu me promettes d'arrêter de te transformer, bougonna Toklo. Je ne veux pas voyager avec un Peau-lisse.

— Promis !

— Ni avec un saumon.

— Promis !

— Ni avec un oiseau.

— Promis promis promis ! s'écria le petit grizzli en se levant d'un bond.

« Y a intérêt », songea Toklo.

Les deux oursons sortirent de la forêt et débouchèrent sur une prairie pleine de fleurs. La montagne se dressait droit devant eux. Il n'y avait presque plus de neige, même sur les pics.

Tout à coup, Toklo détecta une odeur musquée. Il balaya les buissons des yeux : une touffe de poils blancs était accrochée aux branches. Il alla la renifler : ça sentait la chèvre, la bonne chèvre des montagnes bien juteuse.

— Suis-moi ! lança-t-il à Ujurak, qui cherchait des vers de terre.

Ils s'élancèrent à travers la prairie. Puis, sans décoller la truffe du sol, Toklo s'engagea sur un sentier tortueux qui grimpait dans la montagne. Ici, la chèvre avait grignoté des feuilles d'un arbuste : il était sur la bonne piste !

Il leva les yeux. Quelques petits nuages blancs voguaient au-dessus des pics gigantesques. On aurait dit des touffes de poils de chèvre happées par le vent. L'ourson scruta le sentier pour voir si quelque chose bougeait.

Là ! Une forme noir et blanc dans les rochers, pas très loin. La chèvre n'avait pas vu qu'elle était suivie. Elle broutait tranquillement l'herbe qui poussait entre les cailloux.

Toklo se précipita dans sa direction en dérapant sur la pente raide. La chèvre leva la tête, le fixa avec ses yeux noirs ovales, termina de mâchonner son brin d'herbe et se sauva sans crier gare. Hop ! Hop ! Hop ! en trois bonds agiles, elle disparut dans les fourrés.

— Grrrr ! gronda Toklo.

— Il faut l'attraper ! s'écria Ujurak.

Bien décidé à manger de la chèvre au petit déjeuner, Toklo s'élança derrière sa proie. Il en avait assez de se nourrir de racine et de baies. Ignorant les pierres pointues qui s'enfonçaient dans ses coussinets, il galopait comme si sa vie en dépendait. Il jeta un coup d'œil en arrière : Ujurak peinait à monter la pente. Tant pis ! Le petit grizzli finirait bien par le rattraper.

La chèvre sauta par-dessus un rocher, longea une corniche très étroite et s'arrêta à flanc de falaise. Toklo regarda en bas : la prairie était tellement loin que l'herbe et les fleurs ressemblaient à des taches jaunes et vertes. Il frissonna. S'il glissait, il s'écraserait en bas.

Il s'immobilisa à quelques pas de la chèvre. Des cailloux se détachèrent et roulèrent au pied de la falaise. Sa proie lui lança un regard de défi et racla le sol avec ses sabots. Toklo déglutit : cette chèvre n'allait quand même pas sauter dans le vide ! Elle se tenait si près qu'il voyait les veines palpiter sur son cou. Il mourait d'envie de planter ses crocs dans sa chair tendre.

Seulement, pour cela, il faudrait se jeter en avant. Et Toklo avait une chance sur deux de dégringoler dans le vide. Il foudroya la chèvre du regard : elle avait gagné ! Il se détourna et commença à redescendre.

Soudain, un cri perçant fendit l'air. Toklo leva les yeux : un aigle royal fondait droit sur la chèvre. Il enfonça ses serres dans le dos de l'animal, qui perdit l'équilibre, roula le long de la pente et s'écrasa sur les rochers, juste au-dessus de la prairie.

Une proie tombée du ciel. C'était inespéré ! Toklo bondit de roc en roc. Il sentait déjà le goût de la viande fraîche sur sa langue. Mais l'aigle fut plus rapide : il planta les serres dans le flanc de la chèvre, poussa un cri de triomphe et, d'un coup de bec acéré, déchira un bout de chair.

— Voleur ! rugit Toklo en se dressant sur ses pattes arrière. C'est *ma* proie ! Je l'ai vue avant toi !

Pour toute réponse, l'aigle s'ébroua. Une pluie de plumes tomba par terre. Puis l'oiseau se couvrit de poils bruns sombres, ses ailes se changèrent en petites pattes. Quelques instants plus tard Ujurak gambadait autour de Toklo, la langue pendante.

— T'as vu ? T'as vu ? J'ai voulu me transformer en aigle, et j'y suis arrivé ! C'est pratique, un aigle, pour tuer une chèvre, hein ?

— Mouais, ronchonna Toklo.

— Je n'arrive pas à y croire ! babilla le petit grizzli. J'étais en train de courir et, d'un coup, je me suis dit : « Si j'étais un aigle, j'attraperais cette chèvre en deux secondes ! » Et pouf ! je suis devenu un aigle ! C'est pas génial, dis !

Toklo grommela :

— Je te préfère quand même en ours !

Mais comme il avait très faim, il s'accroupit à côté d'Ujurak et se mit à engloutir la viande sans rien ajouter.

Un vent frais s'était levé dans la forêt, faisant danser les branches et bruire les feuilles. C'était bientôt le crépuscule, il faisait lourd et humide. Il allait peut-être pleuvoir. Toklo avançait, la truffe au ras du sol. Il cherchait un abri pour la nuit. On ne pouvait pas dormir sous l'orage.

Il y avait une drôle d'odeur, là-bas. Une odeur de cendres et de bois brûlé, que Toklo n'aimait pas. Soudain, quelque chose jaillit de sous les fourrés. Toklo et Ujurak sursautèrent. Un lièvre ! Ujurak lâcha un jappement de stupeur.

— Non ! cria Toklo.

Trop tard. Ujurak avait déjà de longues oreilles et des pattes de lièvre. Toklo soupira : son copain ne maîtrisait pas ses transformations. Il avait beaucoup de progrès à faire.

— Reste ici ! lui ordonna Toklo.

Mais les deux lièvres disparurent dans le sous-bois. L'ourson étouffa un grognement. Bravo ! Quel lièvre allait-il chasser, maintenant ? C'était fichu pour aujourd'hui.

Bientôt, un rugissement s'éleva derrière les arbres. Toklo se figea, la fourrure hérissée. Un ours ! Il y avait un troisième ours dans la forêt ! S'il capturait Ujurak...

Toklo s'élança au triple galop. Débouchant dans une clairière, il aperçut un lièvre piégé contre un buisson par une ourse noire. Avec sa fourrure ébouriffée et sa petite taille, l'oursonne ne faisait pas vraiment peur. Mais elle pointait vers le lièvre des griffes recourbées qui avaient l'air très tranchantes. Elle semblait affamée, et bien décidée à manger le lièvre-lièvre, ou le lièvre-Ujurak.

— NON ! beugla Toklo.

Il se jeta sur l'ourse et la cloua au sol. Elle lutta férocement : coups de griffes, coups de dents. Elle était plus forte qu'il n'avait cru.

— Tu n'as pas le droit de manger ce lièvre ! gronda Toklo.

— Si ! riposta l'oursonne. C'est le mien ! Je l'ai attrapé toute seule !

Et elle lui griffa le museau.

— Aïe !

Toklo lui immobilisa les pattes. C'était facile : il était deux fois plus lourd qu'elle. Si elle voulait la bagarre, elle allait l'avoir !

— Stop !

Toklo regarda derrière lui. Ujurak s'était retransformé en grizzli. Debout sur ses pattes arrière, il faisait des gestes désespérés.

— Ne lui fais pas de mal, Toklo. Regarde-la : elle meurt de faim. Elle voulait seulement manger. Laisse-la partir.

À ces mots, la petite ourse noire cessa de se débattre et demanda :

— C'est toi, Toklo ?

Elle le regardait avec de grands yeux étonnés.

— Euh… oui, répondit le grizzli.

Alors, l'oursonne se dégagea et dit d'une voix douce et posée :

— Je m'appelle Lusa. Ça fait longtemps que je te cherche.

Découvrez la suite de :

LA QUÊTE DES OURS

LIVRE II

À paraître en octobre 2013

Suivez
La quête des ours

Plongez dans
La guerre des Clans

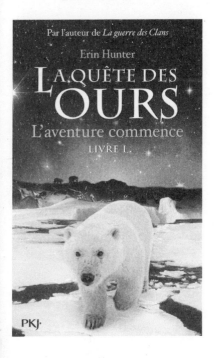

Livre 1 : *L'aventure commence*
Livre 2 : parution en octobre 2013

CYCLE III, Livre 4 : *Éclipse*
Parution en mars 2013

Ouvrage composé par
PCA - 44400 Rezé

Cet ouvrage a été imprimé
en Allemagne par

GGP Media GmbH
à Pößneck

Dépôt légal : février 2013

MIXTE
Papier issu de
sources responsables
FSC® C003309

Pocket Jeunesse, une marque d'Univers Poche,
est un éditeur qui s'engage pour
la préservation de son environnement
et qui utilise du papier fabriqué à partir
de bois provenant de forêts gérées
de manière responsable.

12, avenue d'Italie – 75627 PARIS Cedex 13